Educación Artística

Tercer grado

Educación Artística. Tercer grado fue desarrollado por la Dirección General de Materiales e Informática Educativa (DGMIE), de la Subsecretaría de Educación Básica, Secretaría de Educación Pública.

Secretaría de Educación Pública
Emilio Chuayffet Chemor

Subsecretaría de Educación Básica
Alba Martínez Olivé

Dirección General de Desarrollo Curricular
Hugo Balbuena Corro

Dirección General Adjunta para la Articulación Curricular de la Educación Básica
María Guadalupe Fuentes Cardona

Dirección General Adjunta de Materiales Educativos
Laura Athié Juárez

Segunda edición 2011

Coordinación técnico-pedagógica
Dirección de Desarrollo e Innovación de Materiales Educativos, DGMIE/SEP
María Cristina Martínez Mercado, Ana Lilia Romero Vázquez, Alexis González Dulzaides

Autores
Rita Holmbaeck Rasmussen, Oswaldo Martín del Campo Núñez, Laura Gamboa Suárez, Lorena Cecilia Fuensanta Ávila Dueñas, María Teresa Carlos Yáñez, Marxitania Ortega Flores, María Guadalupe Patricia Romero Salas, María Estela Ruiz Fisher

Revisión técnico-pedagógica
Gabriela Rodríguez Blanco, Jessica Mariana Ortega Rodríguez, Rosa María Núñez Hernández, Daniela Aseret Ortiz Martinez, Luz María del Socorro Pech Zumárraga

Asesores
Lourdes Amaro Moreno, Leticia María de los Ángeles González Arredondo, Óscar Palacios Ceballos

Coordinación editorial
Dirección Editorial, DGMIE/SEP
Alejandro Portilla de Buen, Pablo Martínez Lozada, Esther Pérez Guzmán

Cuidado de la edición
Esteban Manteca Aguirre

Producción editorial
Martín Aguilar Gallegos

Formación
Abraham Menes Núñez

Iconografía
Diana Mayén Pérez, Fabiola Buenrostro Nava

Portada

Diseño de colección: Carlos Palleiro
Ilustración de portada: Cecilia Rébora

Servicios editoriales (2010)
CIDCLI, S.C.

Asesoría editorial
Patricia van Rhijn, Elisa Castellanos, Rocío Miranda

Ilustración
Maya Selena García (pp. 8-9, 22-23, 28-29, 33-34, 38-39, 54-55, 68-69); Belén García (pp. 10, 20, 49, 65); Patricio Betteo (pp. 10, 14, 24, 31, 45-47, 50, 57, 61, 64, 77, 80, 82); Sara Elena Palacios (pp. 21, 67, 73, 86); Rodrigo Folgueira (pp. 15, 37, 81); Sergio Bordon (pp. 30, 31, 47); Gonzalo Gómez (pp. 19, 50); Fabricio Vanden Broeck (p. 60); Alma Rosa Pacheco (p. 63); Sabina Iglesias (p. 70); Gloria Calderas (p. 85).

Diseño y diagramación
Rogelio Rangel

Iconografía
Ana Mireya Martínez Olave

Fotografía
Rafael Miranda; asistente: Anaí Tirado

Tercera edición revisada, 2014 (ciclo escolar 2014-2015)

Coordinación técnico-pedagógica
Dirección de Desarrollo e Innovación de Materiales Educativos, DGMIE/SEP
María Elvira Charria Villegas

Revisión técnico-pedagógica
Dirección de Desarrollo e Innovación de Materiales Educativos (DDIME), Dirección General de Desarrollo Curricular (DGDC) y maestros frente a grupo del Pimpleia Taller infantil y juvenil de artes plásticas

Coordinación editorial
Dirección Editorial, DGMIE/SEP
Patricia Gómez Rivera, Olga Correa Inostroza

Cuidado de la edición
Anel Varela Meza

Corrección de estilo y pruebas
Octavio Rodríguez, Mario Aburto Castellanos

Producción editorial
Martín Aguilar Gallegos

Formación
Edith Galicia de la Rosa

Iconografía
Diana Mayén Pérez

Primera edición, 2010
Segunda edición, 2011
Tercera edición revisada, 2014 (ciclo escolar 2014-2015)

ISBN: 978-607-514-725-3

Impreso en México
DISTRIBUCIÓN GRATUITA-PROHIBIDA SU VENTA

Educación Artística. Tercer grado
se imprimió por encargo de la Comisión Nacional
de Libros de Texto Gratuitos,
en los talleres de Impresora y Editora Xalco, S. A. de C.V.,
con domicilio en Av. J.M. Martínez y Av. 5 de Mayo,
Col. Jacalones, C.P. 56600, Chalco, Estado de México,
en el mes de enero de 2014.
El tiro fue de 2'979,000 ejemplares.

Impreso en papel reciclado

Agradecimientos
La Secretaría de Educación Pública agradece a los maestros y maestras, a las autoridades educativas de todo el país, a expertos académicos, por colaborar en la revisión de las diferentes versiones de los libros de texto.

La SEP extiende un especial agradecimiento a la Academia Mexicana de la Lengua por su participación en la revisión de la tercera edición revisada, 2014 (ciclo escolar 2014-2015).

La Patria (1962),
Jorge González Camarena.

Esta obra ilustró la portada de los primeros libros de texto. Hoy la reproducimos aquí para mostrarte lo que entonces era una aspiración: que los libros de texto estuvieran entre los legados que la Patria deja a sus hijos.

El libro de texto que tienes en tus manos fue elaborado por la Secretaría de Educación Pública para ayudarte a estudiar y para que leyéndolo conozcas más de las personas y del mundo que te rodea.

Además del libro de texto hay otros materiales diseñados para que los estudies y los comprendas con tu familia, como los Libros del Rincón.

¿Ya viste que en tu escuela hay una biblioteca escolar? Todos esos libros están ahí para que, como un explorador, visites sus páginas y descubras lugares y épocas que quizá no imaginabas. Leer sirve para tomar decisiones, para disfrutar, pero sobre todo sirve para aprender.

Conforme avancen las clases a lo largo del ciclo escolar, tus profesores profundizarán en los temas que se explican en este libro con el apoyo de grabaciones de audio, videos o páginas de internet y te orientarán día a día para que aprendas por tu cuenta sobre las cosas que más te interesan.

En este libro encontrarás ilustraciones, fotografías, pinturas que acompañan a los textos y que, por sí mismas, son fuentes de información. Al observarlas notarás que hay diferentes formas de crear imágenes. Tal vez te des cuenta de cuál es tu favorita.

Las escuelas de México y los materiales educativos están transformándose. ¡Invita a tus papás a que revisen tus tareas! Platícales lo que haces en la escuela y pídeles que hablen con tus profesores sobre ti. ¿Por qué no pruebas leer con ellos tus libros? Muchos padres de familia y maestros participaron en su creación, trabajando con editores, investigadores y especialistas en las diferentes asignaturas.

Como ves, la experiencia, el trabajo y el conocimiento de muchas personas hicieron posible que este libro llegara a ti. Pero la verdadera vida de estas páginas comienza apenas ahora, contigo. Los libros son los mejores compañeros de viaje que pueden tenerse. ¡Que tengas éxito, explorador!

Visita nuestro portal en http://basica.sep.gob.mx

Índice

Bloque IV

Bloque V

Conoce tu libro

Este libro te acercará a las artes visuales, la danza, la música y el teatro. Conocerás más acerca de cada uno de ellos a través de diferentes experiencias.

Tu libro está dividido en cinco bloques, cada uno contiene:

Para la próxima clase...
En esta sección te diremos los materiales que usarás en la próxima sesión.

Aprendizaje esperado
Aquí te decimos qué aprenderás durante el desarrollo de cada una de las lecciones.

Lo que conozco
Antes de comenzar es conveniente que trates de aportar ideas sobre el tema; recuerda que son valiosas.

Lección 3 Un objeto en el camino

Los objetos, nuestro cuerpo y el de los demás ocupan un lugar en el espacio. En esta lección aprenderás a relacionarte con ellos por medio de tu movimiento.

Lo que conozco
¿Cómo reacciona tu cuerpo cuando un obstáculo te impide el paso? ¡Para saberlo, inténtalo!

Imagina que caminas por un bosque en el que hay muchos árboles, cuyas ramas cuelgan casi hasta el suelo; además hay piedras, hojas y ramas por todas partes. ¿Cómo caminarías por este sendero?

Todos reaccionamos ante aquello que se presenta en nuestro espacio, ya sean objetos, personas o animales.

Generalmente, cuando caminamos y nos encontramos con objetos los esquivamos, o bien, los utilizamos; ¿qué harías si te encontraras una banca en medio de la calle? También tenemos reacciones generadas por emociones; por ejemplo, cuando nos aproximamos o alejamos de algo o alguien, ya sea por curiosidad o por temor. ¿Cómo reaccionarías si se te acercara el animal que más te gusta?

- Distribuye por todo el espacio de tu salón los objetos que encontraste en el Baúl del arte y también las bancas y mochilas, e imagina que tú y tus compañeros se encuentran en un lugar extraño donde desconocen los objetos y las personas que los rodean.
- Camina entre ellos, obsérvalos, acércate y aléjate. ¡No los toques!
- Pon música y desplázate siguiendo el ritmo. Procura hacer un movimiento distinto cada vez que te encuentres frente a un objeto, ten cuidado de no tropezar con tus compañeros.
- Regresa los objetos a su lugar y comparte en grupo tu experiencia en este ejercicio.

¿Cómo percibes ahora los objetos de tu salón? ¿Cómo te desplazaste por el espacio sin chocar con tus compañeros? ¿Qué reacciones te provocaron los distintos objetos que estaban en el salón?

En la danza es muy importante saber cómo te mueves en el espacio; para ello debes prestar atención a todo lo que ocurre alrededor, esto te permitirá desarrollar tu conciencia corporal al moverte y desplazarte.

Para la próxima clase...
Silbatos o flautas de carrizo, botellas grandes de plástico, hojas de papel blanco y colores.

- Mezcla los siguientes colores en proporciones iguales y en los espacios en blanco del círculo, pinta el color que obtengas. Sobre la línea escribe el tono que resultó de cada mezcla.

Rojo + amarillo = ___________
Amarillo+ azul = ___________
Azul + rojo = ___________

- Observa a tu alrededor y elige cinco objetos. Escríbelos en una lista y anota, junto a cada uno, el color que predomina. Menciona si es primario o secundario.

Me pinto de color...
Además de ser parte de nuestro entorno, los colores también se asocian con nuestras emociones. Al usar la combinación de colores puedes expresar tu estado de ánimo. Haz un dibujo, en él que incorporarás colores que representen tus emociones. Cuando termines, muestra el resultado a un compañero y observa el suyo. Comenten qué emociones se expresan con los colores que utilizaron. ¿Con qué colores identificas emociones como felicidad, enojo, tristeza, confusión, sorpresa, aburrimiento?

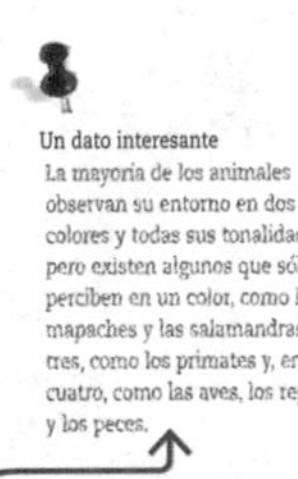

Un dato interesante
La mayoría de los animales observan su entorno en dos colores y todas sus tonalidades, pero existen algunos que sólo lo perciben en un color, como los mapaches y las salamandras, en tres, como los primates y, en cuatro, como las aves, los reptiles y los peces.

Para la próxima clase...
Usarás objetos del Baúl del arte, música que te guste y un reproductor de sonido para el grupo.

Baúl del arte
Lo llenarán entre todos con muchos objetos que podrán usar en el desarrollo de sus lecciones.

Un dato interesante
Aquí conocerás algo nuevo e interesante; aprovéchalo para preguntar e investigar.

- Ahora pintarán sobre los soportes que tienen en el muestrario, con los diversos materiales de que disponen.
- Pueden tomar objetos del Baúl del arte que tengan volumen y tratar de copiarlos con diferentes técnicas.
- Intenten generar volumen en algunos de sus trabajos jugando con los colores claros y oscuros para representar las sombras y las luces.
- Comenten con sus compañeros qué diferencias encontraron entre las técnicas usadas y cuáles son sus características. ¿Trabajaron sobre soportes en los que el material no pintaba bien?, ¿por qué sucedió esto?, ¿cómo lograron crear volumen en alguno de sus trabajos?
- Visiten una exposición de pinturas o dibujos en un museo o galería. No se preocupen si no los hay en el lugar donde viven. Pueden acudir a una iglesia o a un taller artesanal para observar las técnicas y los soportes que se usan ahí.

Los pintores usan diferentes técnicas en la elaboración de sus obras y, a veces, utilizan más de una, a esto se le llama técnica mixta.

Consulta en:
Es una invitación para visitar la página <http://basica. primariatic.sep.gob.mx/>. Cuando tengas la oportunidad, visítala en compañía de un adulto. ¡Él también aprenderá y se divertirá! Recuerda consultar la Biblioteca Escolar. Pide a tu maestro que te preste libros.

Consulta en: Visita el Portal Primaria TIC <http://www.primariatic.sep.gob.mx>. Escribe en el buscador pinturas y, una vez que aparezcan, señala si están plasmadas en tela, en papel o en muros.

Luis Alberto Ruiz, Riachuelo (2007), acuarela, 56 × 76 cm.

Algunas palabras se destacan con color azul porque son importantes en Educación Artística. Pon atención en ellas.

Junto a las reproducciones de obras de arte aparece una silueta humana que te ayudará a ver de qué tamaño es la obra.

Un dato interesante
Hace aproximadamente 50 años, algunos artistas de California, Estados Unidos, comenzaron a trabajar con basura para hacer sus obras de arte.

Para la próxima clase...
Necesitarás un pedazo de cartón de reúso del tamaño de una hoja carta, lápiz, tijeras de punta redonda y los trabajos que realizaste en la lección anterior.

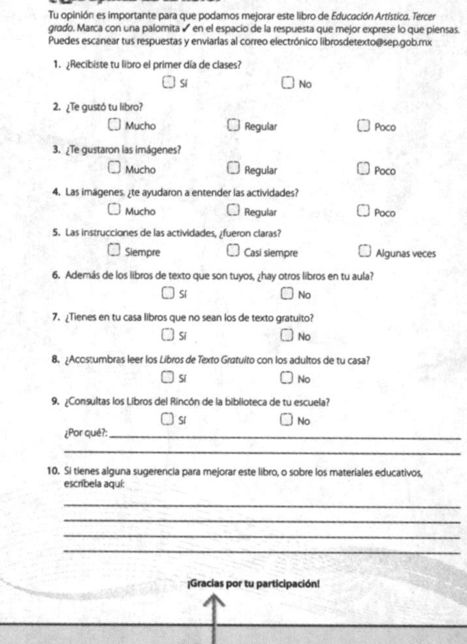

¿Qué opinas de tu libro?

Tu opinión es importante para que podamos mejorar este libro de *Educación Artística. Tercer grado.* Marca con una palomita ✓ en el espacio de la respuesta que mejor exprese lo que piensas. Puedes escanear tus respuestas y enviarlas al correo electrónico librosdetexto@sep.gob.mx

1. ¿Recibiste tu libro el primer día de clases? ☐ Sí ☐ No
2. ¿Te gustó tu libro? ☐ Mucho ☐ Regular ☐ Poco
3. ¿Te gustaron las imágenes? ☐ Mucho ☐ Regular ☐ Poco
4. Las imágenes, ¿te ayudaron a entender las actividades? ☐ Mucho ☐ Regular ☐ Poco
5. Las instrucciones de las actividades, ¿fueron claras? ☐ Siempre ☐ Casi siempre ☐ Algunas veces
6. Además de los libros de texto que son tuyos, ¿hay otros libros en tu aula? ☐ Sí ☐ No
7. ¿Tienes en tu casa libros que no sean los de texto gratuito? ☐ Sí ☐ No
8. ¿Acostumbras leer los *Libros de Texto Gratuito* con los adultos de tu casa? ☐ Sí ☐ No
9. ¿Consultas los Libros del Rincón de la biblioteca de tu escuela? ☐ Sí ☐ No
   ¿Por qué?: ____________________
10. Si tienes alguna sugerencia para mejorar este libro, o sobre los materiales educativos, escríbela aquí: ____________________

¡Gracias por tu participación!

Integro lo aprendido

En esta lección usarás todo lo que has aprendido a lo largo del bloque y combinarás los lenguajes artísticos: danza, música, artes visuales y teatro.

Integro lo aprendido

Has llegado al final del primer bloque. ¿Qué experiencias te dejaron las diferentes lecciones?

Dibuja cuatro retratos de ti mismo; en cada uno representarás una actividad distinta, en donde tú estarás:

- pintando.
- bailando.
- Haciendo música o tocando un instrumento.
- en un escenario.

Para la próxima clase...
Necesitarás distintos materiales sobre los que puedas pintar: cartón, hojas blancas, madera, piedra, lija gruesa, hojas secas de una planta, objetos viejos o rotos que ya no utilices, y una caja de cartón.

Es importante que en cada uno de los dibujos apliques varios de los conocimientos que has adquirido en tus lecciones de artes visuales.

Escribe en cada dibujo lo que sientes en las lecciones y reflexiona: ¿con cuál lenguaje te identificas más?, ¿por qué?

Al final, comparte tu reflexión con tus compañeros.

Cada uno de los lenguajes artísticos te ayuda a identificar mejor aquellas cosas y temas que te interesan y los que no. También te permiten conocer más acerca de tus habilidades y desarrollar tu capacidad de construir ideas y pensamientos. Quizá en este camino descubras que tienes un talento que jamás habías imaginado; no te pongas límites para aprender.

¿Qué opinas de tu libro?

Al final del libro hay un cuestionario. Llénalo para decirnos qué te pareció tu libro y en qué podemos mejorarlo.

Bloque I

Lección 1 Comencemos el año

En segundo grado aprendiste a conocerte mejor y también el mundo que te rodea; gracias a eso adquiriste más confianza para expresar tus ideas y sentimientos a través de bailes, canciones, colores y sonidos.

Conociste las formas básicas para crear representaciones de tu entorno. Aprendiste que la danza te ayuda a expresarte con tu cuerpo y que los sonidos del ambiente forman un paisaje sonoro.

Este año te esperan nuevas aventuras. La Educación Artística te servirá para explorar otras maneras de ver tu entorno y de expresarte. Usarás tu imaginación y tu creatividad; escucharás los sonidos de la naturaleza y te sorprenderá observar que puedes transformar los objetos a través de la fantasía. Por ejemplo: una cuchara podría ser un avión, con un pincel podrías pintar el aire o usarlo como la batuta de un director de orquesta. Inspecciona tu salón y encuentra objetos que puedas usar como algo distinto de lo que son. Todo te servirá para desarrollar tus lecciones de artes visuales, música, teatro y danza.

María Izquierdo (1902-1955), *Escena de circo*, 1940, acuarela sobre papel, 22.5 × 31 cm.

120 cm

Para la próxima clase...
Necesitarás una hoja blanca tamaño carta, una tapa (o un objeto que permita marcar un círculo), una regla, pinturas (pueden ser vegetales o acrílicas), de color rojo, amarillo y azul, acuarelas, gises o colores de madera y un recipiente.

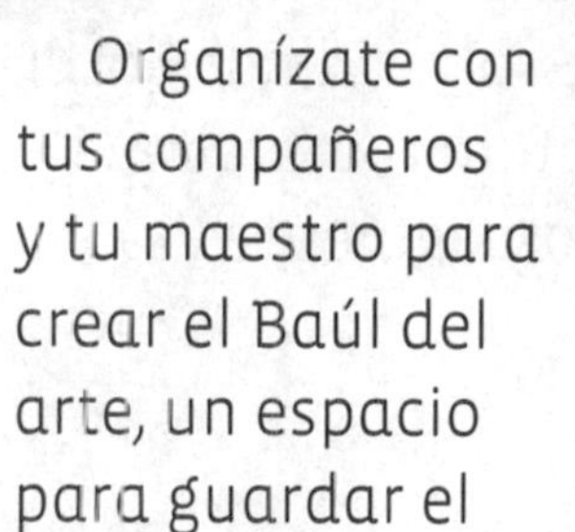

Organízate con tus compañeros y tu maestro para crear el Baúl del arte, un espacio para guardar el material que usarán en sus lecciones de Educación Artística (pinceles, brochas, máscaras, instrumentos musicales, pinturas y todo lo que quieran compartir con sus compañeros).

Lección 2 Donde hay luz, hay color

Aquí aprenderás a apreciar los colores de tu entorno, a través del conocimiento del círculo cromático.

Lo que conozco

¿Cuántos colores puedes reconocer a tu alrededor?

Una forma de conocer el mundo y las cosas que nos rodean es a través de la vista. Tu percepción del entorno siempre estará ligada a los colores. El *color* es una cualidad de los objetos, que percibimos gracias a que la luz estimula nuestros ojos. Por ello se dice que "donde hay luz, hay color".

Cuando observas un cartel, un monumento, un grabado, una pieza de cerámica (o barro), o un bordado, estos objetos te comunican ideas y emociones a través de sus colores. El color te puede provocar múltiples sensaciones: calor, frío, aspereza, delicadeza, miedo, calma, alegría, enojo, etcétera.

Existe una clasificación básica de los colores: primarios y secundarios. Estos colores forman el **círculo cromático**. Los colores primarios son el amarillo, el rojo y el azul. Para obtener los colores secundarios realiza los siguientes pasos.

- En una hoja blanca tamaño carta, dibuja un círculo. Usa la regla y divídelo en seis partes iguales. Pinta con los materiales que elegiste los colores primarios (rojo, amarillo, azul), deja un espacio en blanco entre un color y otro. Observa la imagen.

- Mezcla los siguientes colores en proporciones iguales y sobre la línea escribe el tono que resultó de cada mezcla.

  Rojo + amarillo = ____________
  Amarillo + azul = ____________
  Azul + rojo = ________________

- Pinta los espacios en blanco del círculo con los colores que obtuviste de la mezcla.

- Observa a tu alrededor y elige cinco objetos. Escríbelos en una lista y anota, junto a cada uno, el color que predomina. Menciona si es primario o secundario.

Además de ser parte de nuestro entorno, los colores también se asocian con nuestras emociones. Al usar cierta combinación de colores puedes expresar tu estado de ánimo. Haz un dibujo en el que uses colores que representen tus emociones.
Cuando termines, muestra el resultado a un compañero y observa el suyo.
Comenten qué emociones se expresan con los colores que utilizaron.
¿Con qué colores identificas emociones como felicidad, enojo, tristeza, sorpresa, confusión, aburrimiento?

Para la próxima clase...
Usarás objetos del Baúl del arte, música que te guste y un reproductor de sonido para el grupo.

Lección 3 Un objeto en el camino

Los objetos, nuestro cuerpo y el de los demás ocupan un lugar en el espacio. En esta lección aprenderás a relacionarte con ellos por medio de tu movimiento.

Lo que conozco

¿Cómo reacciona tu cuerpo cuando un obstáculo te impide el paso? ¡Para saberlo, haz la prueba!

Imagina que caminas por un bosque en el que hay muchos árboles, cuyas ramas cuelgan casi hasta el suelo; además hay piedras, hojas y plantas por todas partes. ¿Cómo caminarías por ese sendero?

Todos reaccionamos ante aquello que se presenta en nuestro espacio, ya sean objetos, personas o animales.

Generalmente, cuando caminamos y nos encontramos con objetos los esquivamos, o bien los utilizamos; ¿qué harías si te encontraras una banca en medio de la calle? También tenemos reacciones generadas por emociones; por ejemplo, cuando nos aproximamos o alejamos de algo o alguien, ya sea por curiosidad o por temor. ¿Cómo reaccionarías si se te acercara el animal que más te asusta?

- Distribuye por todo tu salón los objetos que encontraste en el Baúl del arte y también las bancas y mochilas, e imagina que tus compañeros y tú se encuentran en un lugar extraño donde no conocen los objetos ni a las personas que los rodean.
- Camina entre ellos, obsérvalos, acércate y aléjate. ¡No los toques!
- Pon música y desplázate siguiendo el ritmo. Procura hacer un movimiento distinto cada vez que te encuentres frente a un objeto. Ten cuidado de no tropezar con tus compañeros.
- Regresa los objetos a su lugar y comparte en grupo tu experiencia en este ejercicio.

¿Cómo percibes ahora los objetos de tu salón? ¿Cómo te desplazaste por el espacio sin chocar con tus compañeros? ¿Qué reacciones te provocaron los distintos objetos que estaban en el salón?

En la danza es muy importante saber cómo te mueves en el espacio; para ello debes prestar atención a todo lo que ocurre alrededor. Esto te permitirá desarrollar tu conciencia corporal al moverte y desplazarte.

Para la próxima clase...
Necesitarás silbatos o flautas de carrizo, botellas grandes de plástico, hojas de papel blanco y colores.

Lección 4 Sube y baja

En esta lección diferenciarás entre sonidos graves y agudos, y los representarás con dibujos y garabatos. Además ejecutarás estos sonidos con un pulso.

Lo que conozco

¿Qué objetos de tu vida cotidiana y de tu entorno producen sonidos agudos? ¿Con qué objetos puedes producir sonidos graves?

Con anterioridad, para identificar sonidos graves y agudos, hiciste ejercicios de audición. ¿Qué es esto? Muy sencillo, con los ojos cerrados ponías atención a todo lo que te rodeaba y mencionabas de dónde provenía lo que escuchabas y qué **altura** tenía cada sonido.

Ahora puedes hacer otro ejercicio, pero en esta ocasión será de memoria auditiva. Trata de recordar todos los objetos, instrumentos o animales que producen sonidos agudos y escribe sus nombres en estas líneas.

____

____

____

Haz lo mismo con los sonidos graves. Puedes incluir el nombre de alguna persona que tenga una voz muy grave.

____

____

____

Es tiempo de jugar con sonidos de distinta altura.

A tu clase de hoy trajiste objetos e instrumentos con los cuales puedes producir sonidos con distintas alturas. Las flautas y los silbatos producen sonidos agudos; en cambio, si soplas en la boca de una botella de plástico, obtendrás sonidos graves. ¡Vas a usar tus objetos e instrumentos para tocar tu propia música!

- En una hoja inventa dibujos o garabatos para representar sonidos graves y agudos. Utiliza colores. Por ejemplo, puedes usar el amarillo para sonidos muy agudos, el naranja para sonidos medios y el rojo para los graves. Observa la ilustración e imagina qué colores y formas representan sonidos graves y cuáles agudos. Ahora escoge un color para el sonido de cada objeto e instrumento que llevaste a la clase. ¡Crea una composición musical!
- ¿Recuerdas que en segundo grado aprendiste a seguir un pulso? Aplica ahora ese conocimiento en tu composición. Escoge un pulso tranquilo, márcalo y toca tu obra musical mientras lo sigues.
- Posteriormente, reúnete con tus compañeros en equipos para tocar su composición ante los demás. ¿Qué pasará si todos siguen el mismo pulso y tocan sus composiciones al mismo tiempo? Tal vez resulte algo interesante, ¡inténtenlo!

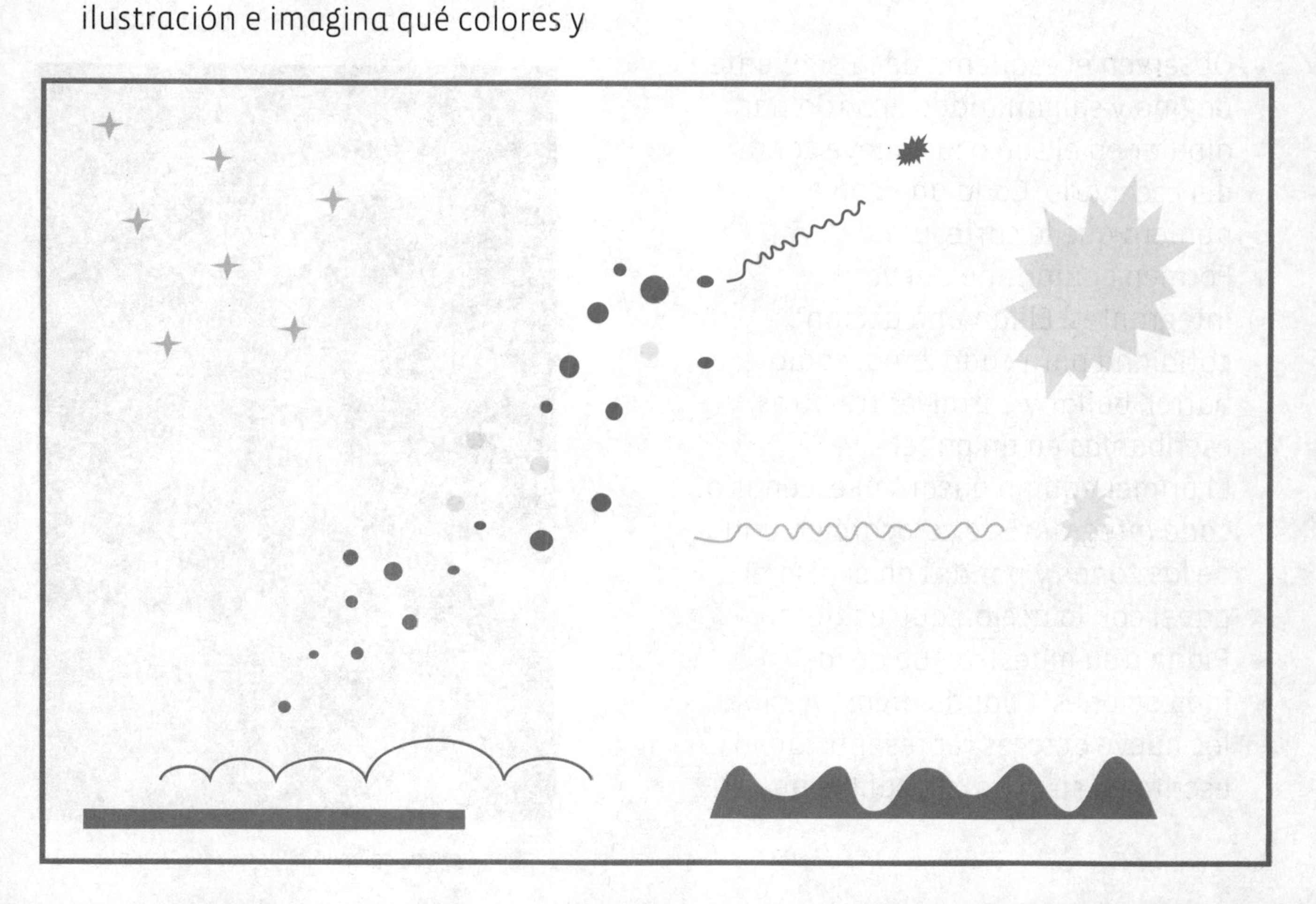

Lección 5 El mapa del escenario

En otras ocasiones hiciste ejercicios teatrales sobre un espacio escénico; ahora aprenderás a ubicar las diferentes zonas del escenario.

Lo que conozco

¿Cómo se llama el lugar donde los actores ejecutan un acto escénico?

El escenario se divide en nueve cuadros, conocidos también como **zonas del escenario**, las cuales sirven a los actores para ubicarse y desplazarse en cualquier espacio escénico y desarrollar sus posibilidades de expresión en un escenario real. Son divisiones imaginarias, es decir, no aparecen marcadas como en la imagen de la página 19.

- Observen el esquema de la siguiente página y salgan todos al patio para dibujar en el suelo las nueve zonas del escenario. Cada una con el número que le corresponde.
- Formen equipos de nueve integrantes. Elijan una acción cotidiana para cada zona, como barrer, bailar y correr, entre otras, y escríbanlas en un papel.
- El primer equipo pasará al escenario; cada integrante se colocará en una de las zonas y pondrá en el piso el papel con la acción que eligieron.
- Pidan a su maestro que dé las indicaciones. Cuando diga: "¡Acción!", los nueve actores representarán lo escrito en su zona, sin salirse de ella.
- Cuando el maestro diga: "¡Cambio!", todos cambiarán de inmediato de cuadro. El maestro dirá: "¡Acción!", otra vez, y entonces los participantes representarán la acción escrita en esa otra zona. Sigan así hasta pasar por diferentes zonas.
- Es importante que el juego se realice con rapidez.
- Cuando el maestro decida, cambiará el equipo que ocupa el escenario y cada miembro pondrá en el suelo el papel que indica la acción que hará.

Al final de la clase, en grupo, comenten: ¿es importante que cada actor respete su zona en el espacio escénico?, ¿por qué? ¿Consideran que la ubicación de los personajes dentro del escenario es importante?, ¿por qué?

Don Quijote, compañía Plasticiens Volants, 2003.

Las zonas en las que está dividido el escenario son imaginarias y les sirven a los actores o bailarines para ubicarse. El nombre que recibe cada zona tiene relación con la ubicación del actor frente al público.

Zonas del escenario:

1. Arriba-derecha
2. Arriba-centro
3. Arriba-izquierda
4. Centro-derecha
5. Centro-centro
6. Centro-izquierda
7. Abajo-derecha
8. Abajo-centro
9. Abajo-izquierda

Para la próxima clase...

Necesitarás hojas blancas y colores.

También las voces humanas tienen diferentes alturas.

Así como tus movimientos y tus gestos te distinguen de los demás, tu voz también te hace único. ¿Cómo son las voces de tus compañeros?, ¿qué altura tienen? ¿Y las voces de tus familiares?

Para la próxima clase...
Necesitarás gises u otros materiales para marcar en el suelo y hojas de papel.

Un dato interesante
El compositor ruso Aleksandr Skriabin (1872-1915) estaba convencido de que a cada nota musical le correspondía un color; en sus partituras hacía indicaciones para encender luces de colores junto con los sonidos de los instrumentos musicales.

Integro lo aprendido

Has llegado al final del primer bloque. ¿Qué experiencias te dejaron las diferentes lecciones?

Dibuja cuatro retratos de ti mismo; en cada uno representa una actividad distinta, en donde tú estés:

- pintando,
- bailando,
- haciendo música o tocando un instrumento,
- en un escenario.

Para la próxima clase...
Necesitarás distintos materiales sobre los que puedas pintar: cartón, hojas blancas, madera, piedras, una lija gruesa, hojas secas de una planta, objetos viejos o rotos que ya no utilices, y una caja de cartón.

Es importante que en cada uno de los dibujos apliques varios de los conocimientos que has adquirido en tus lecciones de artes visuales.

Escribe en cada dibujo lo que sientes en cada actividad y reflexiona: ¿con cuál lenguaje te identificas más?, ¿por qué?

Al final, comparte tu reflexión con tus compañeros.

Cada uno de los lenguajes artísticos te ayuda a identificar mejor los temas que te interesan y los que no. También te permiten conocer más acerca de tus habilidades y desarrollar tu capacidad de construir ideas y pensamientos. Quizá en este camino descubras que tienes un talento que jamás habías imaginado; no te pongas límites para aprender.

Bloque II

Lección 6 ¿Piedra, papel o madera?

Los artistas trabajan con diferentes materiales para crear una pintura. En esta lección reconocerás algunos de ellos.

Lo que conozco

Cuando todavía no existía el papel, ¿sobre qué superficie se dibujaba o pintaba? ¿Es posible pintar o dibujar sobre cualquier superficie?

Un **soporte** es la superficie sobre la cual puedes dibujar o pintar.

Diego Rivera (1886-1957), *El tianguis,* 1923-1924, mural al fresco, panel izquierdo: 459 × 240 cm; sobrepuerta: 109 × 302 cm; panel derecho: 460 × 237 cm.

Leopoldo Flores (1934), *Cosmovitral* (detalle), 1978-1990, estructura metálica, vidrio soplado y cañuelas de plomo, 3000 m^2.

Existen diversos materiales que se utilizan como soporte: papel, cartón, tela, madera, vidrio, muros, entre otros.

Muchos pintores preparan sus soportes con un marco de madera al que le colocan una tela tensada, llamada **lienzo**, luego le aplican una preparación o base para que la pintura quede mejor y dure más.

Observa con calma todas las imágenes que aparecen en la lección y trata de identificar en qué soportes fueron pintadas. ¿El soporte que los artistas escogieron para crear cada imagen cumple una función específica?, ¿por qué?

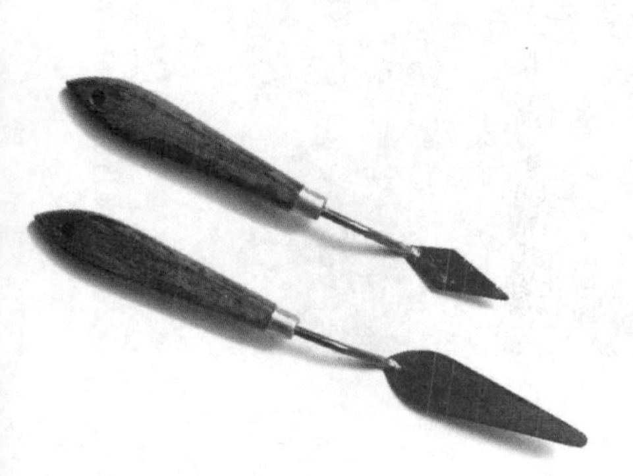

120 cm

José Luis Cuevas (1934), *Los juguetes de Luisita,* 2006, grabado al aguafuerte y aguatinta, 53 × 38.2 cm.

Alberto Gironella (1929-1999), *Madonna con foto de vaca de la película de Buñuel,* 1993, *collage*, 137 × 105 × 7 cm.

Francisco Toledo (1940), *Pescado azul,* 1979, mixografía, 56 × 74.5 cm.

- Revisen y clasifiquen los materiales que trajeron de sus casas. Comenten cómo éstos pueden servir de soportes.
- Observen cada soporte: ¿qué color tiene?, ¿qué textura?, ¿cómo es su forma?, ¿de qué tamaño es?, ¿pueden imaginar su peso?
- Realizarán un muestrario de soportes, sobre los que trabajarán a lo largo del curso.
- Ya que hayan clasificado los soportes, guárdenlos en la caja de cartón. Este muestrario lo utilizarán a lo largo del año, así que es importante que no lo pierdan.

Comenten entre todos: ¿qué material de los que recolectaron piensan que es el más adecuado para dibujar? Además de papel, ¿en qué otros soportes has pintado?

La textura del soporte es muy importante, ya que de ella depende que el material que usas para pintar se adhiera. Los objetos o temas que representen también se verán de maneras diferentes de acuerdo con el soporte elegido.

Un dato interesante

En nuestro país, el papel amate se utiliza como soporte desde la época prehispánica. Para elaborar este papel se aplastan las cortezas internas de los árboles llamados **jonotes**. Estas cortezas pueden ser blancas o rojas.

Para la próxima clase...

Necesitarás listones o bufandas, elásticos de más de dos metros de largo y retazos amplios de tela, rebozos o sábanas. Pónganse de acuerdo para que cada quien elija y traiga uno de estos objetos.

Juventino Díaz Celis (1977), *Si el cielo bendice, todos somos felices, temporada de lluvia,* 2004, acrílico sobre papel amate, 19.5 × 29.5 cm.

Lección 7 ¡Abracadabra!

Aquí aprenderás otras formas de interactuar con los objetos en el espacio personal.

Lo que conozco

¿Qué usos le das a los objetos cuando juegas?

Los objetos se pueden utilizar de diferentes maneras: un envase de plástico sirve como florero, o bien como una especie de pelota para jugar.

En la expresión corporal y la danza, los objetos pueden despertar tu imaginación y ayudarte a encontrar otras formas de moverte y crear distintas figuras con tu cuerpo; también puedes utilizarlos para representar diversas situaciones, como lo haces cuando juegas. Experiméntalo en el siguiente ejercicio.

- Formen equipos pequeños, escojan alguno de los materiales que trajeron de casa y describan sus características.
- Si escogieron la tela, observen sus cualidades: si pesa mucho o poco, si es amplia, cómo es su textura, etcétera. Ahora exploren movimientos que puedan hacer con ese objeto. ¿Cómo serían sus movimientos si utilizaran una tela suave?

- Si eligieron el elástico, éste puede tensarse y variar la distancia entre ustedes. ¿Cómo lo utilizarían para hacer un triángulo o un cuadrado? ¿Qué otras figuras podrían crear colocándose el elástico en distintas partes del cuerpo?
- Con los listones o las bufandas, prueben qué figuras y movimientos pueden hacer. ¿Qué pasaría si se entrelazaran con muchos listones?
- Descubran nuevas formas de relacionarse utilizando los objetos de manera creativa e inventando situaciones. Una tela liviana ¿cómo podría convertirse en una ola del mar? Si enredan varios listones ¿pueden formar una telaraña?

Comenten su experiencia en este ejercicio. ¿Qué nuevos usos encontraron para el objeto que utilizaron?

Cada objeto tiene características propias que inspiran la creatividad. Así sucedió en esta lección cuando transformaste el uso que los objetos tienen en la vida cotidiana.

Un dato interesante
¿Se puede bailar en el aire? ¡Sí! La danza aérea se realiza utilizando cuerdas y telas. Combina movimientos de danza, expresión corporal y acrobacia. Cuando los bailarines utilizan la tela, ésta se cuelga desde un lugar muy alto y la trepan utilizando distintas técnicas. Una vez arriba, se envuelven y se deslizan creando figuras.

Consulta en:
Ingresa a <http://basica.primariatic.sep.gob.mx/>. Escribe en el buscador **danza**. Disfrutarás de ella.

Para la próxima clase...
Necesitarás objetos para producir sonidos o instrumentos musicales, hojas de papel blanco y colores.

Lección 8 Dibujar la música

Ahora, continuarás ejecutando tus propias partituras, al usar símbolos y figuras para representar las cualidades del sonido (timbre, altura, intensidad y duración).

Lo que conozco

¿Qué características o cualidades tienen los sonidos?

Tal vez has visto el papel en donde se escribe la música. Las bolitas y rayitas que aparecen en esas hojas representan sonidos, que un músico sabe interpretar; a estos escritos se les llama **partituras**. Observa en la página 32 el ejemplo de una partitura.

- Busca objetos con los que puedas hacer sonidos e inventa una marca que indique cuándo se debe tocar ese instrumento y otra para indicar cuándo debe permanecer en silencio.
- Ahora la cosa se complica, el reto será más grande: no sólo representarás sonidos graves y agudos, sino que también pensarás en largos y cortos, fuertes y débiles.
- En una hoja traza tu nueva creación musical.
- Intenta leer y tocar las figuras que inventaron tus compañeros.
- Guarda tu partitura, la usarás al finalizar el bloque.

En la música existen muchos símbolos y figuras que representan todas las cualidades del sonido. ¿Qué símbolo dibujarías para indicar que un sonido suave debe convertirse rápidamente en fuerte?

Georg Friedrich Händel (1685-1759), partitura de *El Mesías, oratorio en tres partes, 1741.*

Un dato interesante

¡Existen músicos que pueden escribir en papel una obra musical con sólo escucharla una vez!

Lección 9 ¡A escena!

Aquí aprenderás a distinguir las relaciones que existen entre el escenario, el actor y el público.

Lo que conozco

¿Cómo se llama el lugar donde se representan obras con actores?

El teatro occidental nació hace unos 2600 años, no como un arte, sino como un ritual. Los griegos realizaban cada año una ceremonia para honrar a Dioniso, el dios del vino y la fertilidad. En un espacio circular ponían una plataforma de madera y desde ahí el sacerdote dirigía el culto con cantos y poemas al dios. Los fieles se reunían alrededor.

Con el tiempo, las ceremonias se hicieron más populares y se empezaron a contar otras historias. Así fue como el sacerdote se convirtió en actor; la plataforma donde se hacía el ritual, en el escenario, y los fieles, en público.

Consulta en:
Si deseas conocer más obras de teatro, busca en la Biblioteca Escolar el siguiente libro: Clara Rosa Otero, *La cena de Tío Tigre y otras obras de teatro para niños*, México, SEP-Ediciones Ekaré, 2007.

Hoy jugarán a "Reír o llorar", ejercicio teatral que les mostrará las acciones en el escenario.

- Con ayuda de su maestro, acomoden el mobiliario de su salón y establezcan un lugar para el escenario y un espacio para el público.
- Formen dos equipos.
- Un equipo pasa al escenario y todos los integrantes ríen al mismo tiempo, de todas las maneras posibles que conozcan (también pueden inventar otras). Mientras tanto, el otro equipo observa atentamente. Cuando el maestro diga: "¡Cambio!", los equipos cambiarán de lugar.
- Los integrantes del equipo que ahora está en el escenario, al escuchar que su maestro diga: "¡Acción!", llorarán al mismo tiempo, de diversas formas. Mientras tanto, el otro equipo observará atentamente.
- Es importante que lo hagan de manera breve. Prueben experimentar también con otro tipo de emociones o sentimientos, como tristeza y amor.
- Si lo desean, además pueden acompañar su acción en el escenario con movimientos y palabras.

Consulta en:
Ingresa a <http://basica.primariatic.sep.gob.mx/>. Escribe en el buscador **teatro** para ver a los actores en escena.

Esquina bajan, Compañía Nacional de Danza, 2007.

- Al terminar, reúnanse y comenten: ¿experimentaron lo mismo como público que como actores?, ¿por qué? ¿Lograron expresarse libremente con estas acciones?, ¿por qué?

En una función de teatro es muy importante la relación y la comunicación entre los actores para atrapar la atención del público. ¿Alguna vez has estado en el escenario de algún teatro?, ¿en cuál? ¿Qué emociones crees que se pueden experimentar al estar sobre un escenario frente a un público muy numeroso?

Para la próxima clase...
Necesitarán gises, objetos del Baúl del arte y algunas de las partituras que hicieron en la lección 8.

Integro lo aprendido

En este bloque aprendieron cosas que les serán útiles para desarrollar esta actividad.

- Formen dos equipos; escojan un lugar para crear un escenario, dentro o fuera del salón. Con sus gises, delimiten el espacio y divídanlo en sus nueve zonas.
- En cada zona coloquen un objeto del Baúl del arte o una partitura.
- Asignen una emoción o sentimiento diferente para cada zona del escenario y piensen cómo podrían representarlos.
- Mientras un equipo representa a los espectadores, el otro se desplazará por las zonas del escenario siguiendo las indicaciones del público. Por ejemplo, una indicación sería: "Arriba-derecha".
- Al llegar a la zona indicada, si hay objetos, úsenlos para representar la emoción que corresponde al espacio. Si se encuentran con una partitura, interprétenla todos juntos enfatizando la emoción en turno.
- Una vez que recorran todas las zonas, cambien de lugar con el equipo que participó como público. También pueden cambiar de lugar las emociones, los objetos y las partituras.
- Finalmente, comenten qué diferencia encontraron entre representar acciones cotidianas y representar emociones, y qué dificultades tuvieron al desarrollar la actividad y cómo las solucionaron. Asimismo, reflexionen sobre el trabajo que hacen los actores en el escenario.

Imagina: un bailarín, un actor o un cantante deben concentrarse en muchas cosas al hacer su trabajo. Deben recordar sus diálogos y movimientos, seguir la música llevando un pulso y transmitir emociones.

Para la próxima clase...
Necesitarás diferentes materiales para pintar: acuarelas, pinceles, crayones, lápices, gises, trozos de carbón, esmalte para uñas, café soluble, o un poco de jugo de betabel o jamaica, y los soportes que hiciste.

El puente de piedras y la piel de imágenes, compañía Los Endebles, 2009.

Impresiones en el ánimo, compañía Realizando Ideas, 2007.

Bloque III

Lección 10 ¿Con qué pinto lo que pinto?

Ya conociste diferentes soportes; en esta lección descubrirás diversas técnicas para aplicarlas en tus pinturas y dibujos.

Lo que conozco

¿Con qué materiales dibujas o pintas?, ¿conoces otro que no hayas utilizado?, ¿cuál?

¿Te imaginas cómo eran en la antigüedad los materiales que usaban los artistas para dibujar o pintar? No existían pinturas como las que encontramos en las tiendas. Sin embargo, ya se conocían y usaban algunos colorantes o pigmentos de origen animal, vegetal y mineral que hasta la fecha seguimos usando.

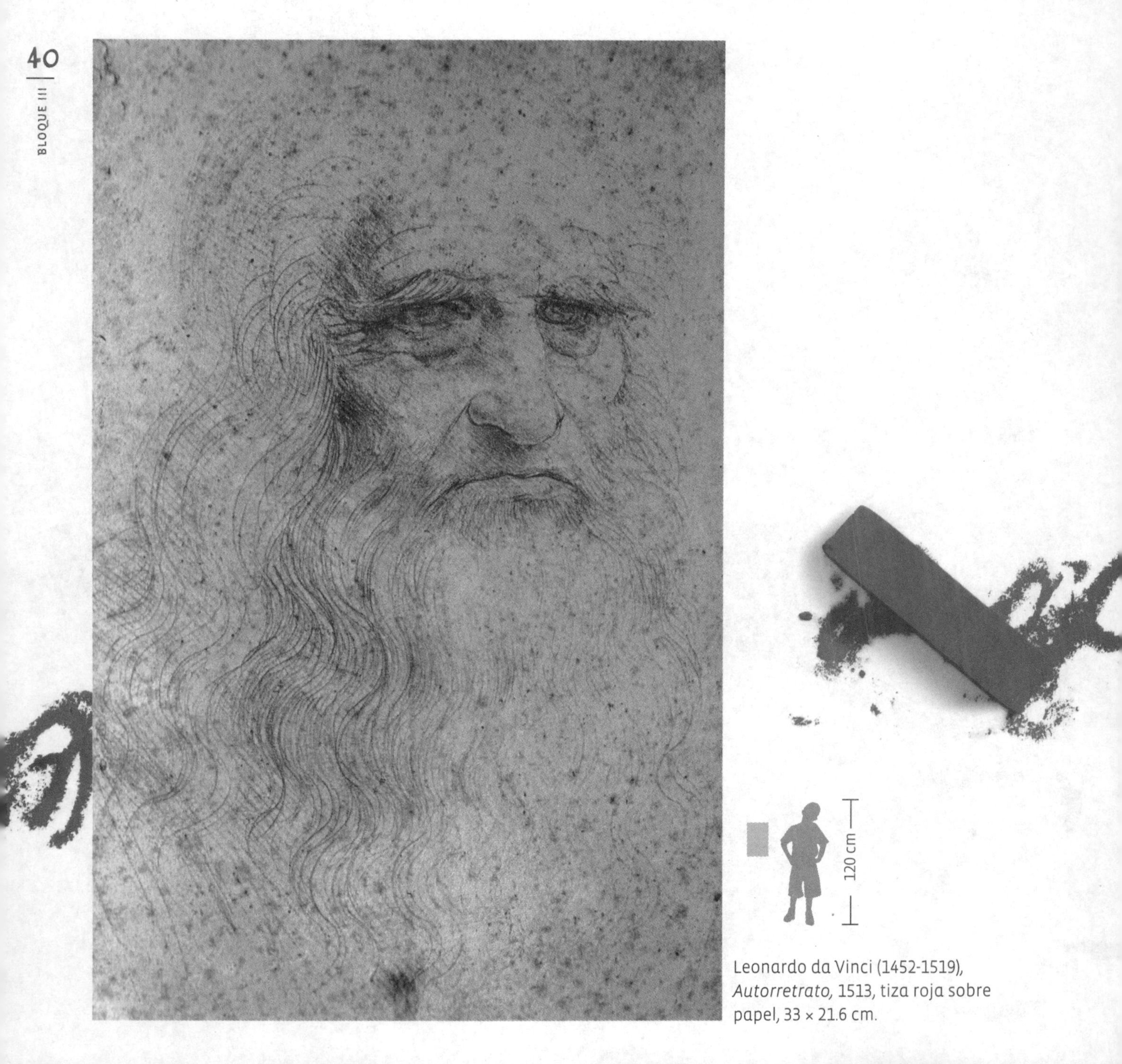

Leonardo da Vinci (1452-1519), *Autorretrato,* 1513, tiza roja sobre papel, 33 × 21.6 cm.

Los crayones, los lápices o los gises de colores, las acuarelas, las pinturas acrílicas, el óleo y otros materiales se elaboran con pigmentos, casi siempre en forma de polvo fino. Se mezclan con clara de huevo, agua, cera o aceite, entre otras sustancias, para darles consistencias diferentes.

Para pintar se usan instrumentos como pinceles, esponjas, espátulas, los dedos o la mano.

En las artes plásticas se le llama **técnica** a la manera en que se usan los distintos materiales y herramientas sobre el soporte elegido.

Los artistas utilizan diferentes tipos de materiales para obtener resultados distintos en cada una de sus obras. Esto se debe a las características que presentan dichos materiales; por ejemplo, pueden tener texturas o no, ser brillantes u opacos, densos o ligeros.

Observa con cuidado las imágenes de esta lección. Trata de identificar los soportes y los materiales con que fueron creadas. Aunque son imágenes bidimensionales, tanto en el *Autorretrato* de Leonardo da Vinci como en la obra *Verano* de Giuseppe Arcimboldo, es muy claro que ambos artistas lograron dar la sensación de volumen, ¿lo percibes? Observa cuáles son la parte más oscura y la más clara de las obras. En cambio, Joan Miró no se interesó por ello, ¿qué otros elementos identificas en su obra *El oro del azur*?

Giuseppe Arcimboldo (1524-1593), *Verano*, 1573, óleo sobre lienzo, 76 × 64 cm.

Joan Miró (1893-1983), *El oro del azur*, 1967, acrílico sobre lienzo, 205 × 173 cm.

- Ahora pintarán sobre los soportes que tienen en el muestrario, con los diversos materiales de que disponen.
- Pueden tomar objetos del Baúl del arte que tengan volumen y tratar de copiarlos con diferentes técnicas.
- Intenten generar volumen en algunos de sus trabajos jugando con los colores claros y oscuros para representar las sombras y las luces.
- Comenten con sus compañeros qué diferencias encontraron entre las técnicas usadas y cuáles son sus características. ¿Trabajaron sobre soportes en los que el material no pintaba bien?, ¿por qué sucedió esto?, ¿cómo lograron crear volumen en alguno de sus trabajos?
- Visiten una exposición de pinturas o dibujos en un museo o galería. No se preocupen si no los hay en el lugar donde viven. Pueden acudir a una iglesia o a un taller artesanal para observar las técnicas y los soportes que se usan ahí.

Los pintores usan diferentes técnicas en la elaboración de sus obras y, a veces, utilizan más de una. A esto se le llama **técnica mixta**.

Consulta en:
Ingresa a <http://basica.primariatic.sep.gob.mx/>. Escribe en el buscador **pinturas** y, una vez que aparezcan, señala si están plasmadas en tela, en papel o en muros.

Luis Alberto Ruiz (1971), *Riachuelo*, 2007, acuarela, 56 × 76 cm.

Un dato interesante
Hace aproximadamente 50 años, algunos artistas de California, Estados Unidos, comenzaron a trabajar con basura para hacer sus obras de arte.

Para la próxima clase...
Necesitarás un pedazo de cartón de reúso del tamaño de una hoja carta, lápiz, tijeras y los trabajos que realizaste en esta lección.

Lección 11 Haz tu propia cédula

Ya has hecho varios ejercicios plásticos. Ahora aprenderás qué es una cédula y qué datos se escriben en ella.

Lo que conozco

¿Has visto que en una exposición la obra va acompañada de un pequeño letrero con distintos datos?, ¿qué información está escrita ahí?, ¿para qué sirve?

La **cédula** de una obra es una ficha técnica con los datos más importantes.

Recuerda lo que aprendiste en la lección 6 "Piedra, papel o madera"; te ayudará a entender mejor los datos que se encuentran en una cédula.

Ya trabajaste con soportes y técnicas diversas, ahora harás una cédula básica para cada obra.

Nombre del autor: Vincent van Gogh
Título de la obra: *El dormitorio*
Fecha en la que se realizó: 1888
Técnica: óleo sobre tela

Vincent van Gogh (1853-1890), *El dormitorio*, 1888, óleo sobre tela, 72 × 90 cm.

- En el cartón que trajiste, traza algunos rectángulos. Recórtalos y escribe en el lado izquierdo de cada uno los datos de acuerdo con el siguiente recuadro:

Nombre del autor: ______________________
____
Título de la obra: ______________________
____
Fecha de elaboración: ________________
Técnica: ______________________________

Éstas serán las cédulas de tus obras.

- Llena las cédulas con los datos de cada una de las obras que trajiste. Escribe tu nombre, porque tú eres el autor. ¿Qué títulos les pondrás?
- Coloca tu creación en algún lugar del salón y acompáñala con su cédula.
- Con todos los trabajos distribuidos en el salón y sus cédulas a un lado, ¡están realizando una pequeña exposición!
- Observen los trabajos de todos los demás y comenten: ¿qué otros datos se pueden incluir en la cédula?, ¿identifican las técnicas y los soportes de cada uno de ellos?

Las cédulas de las obras de arte son informativas porque nos proveen de datos específicos. Además, el título resulta ser muy importante porque en ocasiones nos permite entender o reconocer con mayor facilidad lo que estamos viendo.

La próxima vez que vayas a algún museo donde haya pinturas, fotografías o esculturas observa sus cédulas. Conviene que hagas una cada vez que elabores un dibujo o una pintura; así, cuando tengas varias podrás ver cuáles son las diferentes técnicas que empleaste.

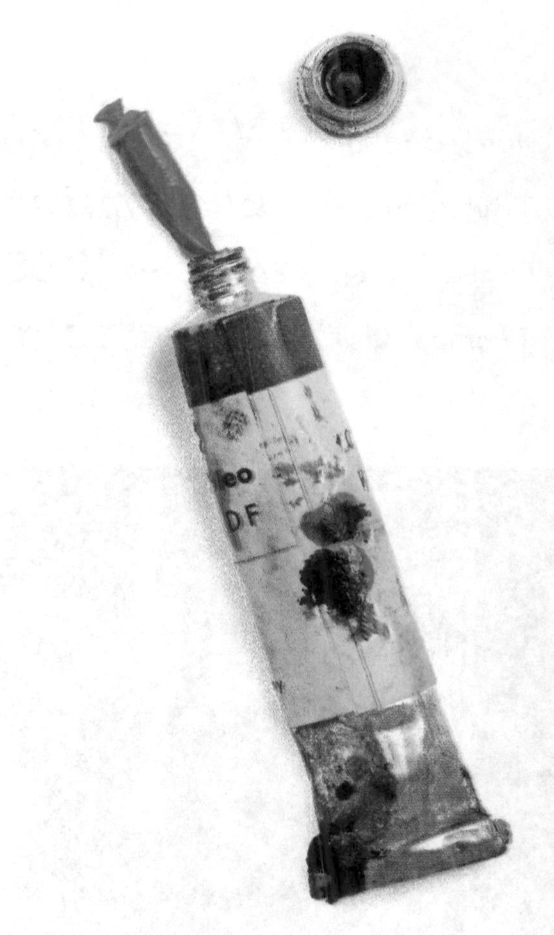

Para la próxima clase...
Necesitarás música y un reproductor de sonido para todos.

Lección 12 Encuentros magnéticos

Durante esta lección explorarás diferentes formas de encontrarte con tus compañeros y con los objetos.

Lo que conozco

¿Cómo te moverías si fueras un imán y tu compañero un metal? ¡Inténtalo!

Los imanes son materiales con propiedades magnéticas que atraen algunos metales. ¿Qué pasa si ponemos dos imanes juntos?, ¿se atraen o se repelen? Si quieres saber más sobre los imanes, consulta tu libro de Ciencias Naturales.

En esta lección imaginarás que tu cuerpo es como un imán que te llevará a encontrarte de distintas formas con tus compañeros.

Pon música y pide ayuda a tu profesor para que la detenga en algunas ocasiones durante la actividad. ¿Listo? Como dicen por ahí: ¡música, maestro!

- Despejen el salón de clase. Siempre que la música suene podrán caminar libremente por el espacio y cuando ésta se detenga harán distintos encuentros con sus compañeros. Aquí tienen algunas ideas retomando el tema de los imanes.
- Imaginen que algunos de ustedes tienen un imán en ciertas partes de su cuerpo, mientras que otros compañeros son de metal. El imán es tan potente que hace que se unan entre ustedes, ¿cómo podrían caminar por el espacio unidos en alguna parte de sus cuerpos?
- ¿Qué pasaría si tuvieran imanes en sus cabezas o espaldas?
- ¿Cómo harían para caminar unidos al ritmo de la música?
- Prueben distintas formas de unirse magnéticamente con sus compañeros: frente con frente, lado con lado, espalda con frente, etcétera, ¡las posibilidades son infinitas, como su creatividad!

Ahora prueben el siguiente ejercicio con los objetos. La única regla es utilizar todas las partes del cuerpo, ¡excepto las manos! Imaginen que éstas carecen de poder magnético.

- Formen equipos.
- Escojan un objeto del Baúl del arte y hagan un círculo.
- Uno de ustedes, sin usar las manos, tomará el objeto e intentará pasarlo al compañero de al lado. El objeto no puede caer al suelo y tiene que pasar por todos los integrantes del equipo.
- Al final, compartan su experiencia con el grupo. ¿Qué nuevas formas de encontrarse con sus compañeros inventaron? ¿Qué otras maneras de pasarse los objetos, sin utilizar las manos, descubrieron?

En la danza mueves tu cuerpo de una forma distinta a como normalmente lo haces; de esta manera puedes inventar nuevos movimientos. En casa reflexiona sobre lo que significa para ti un saludo y anótalo en tu cuaderno.

Para la próxima clase...
Pide a tu maestro que lleve al salón cinco botellas de vidrio y cinco etiquetas o cinta adhesiva. También necesitarán un poco de agua. Cada uno lleve una varita de plástico, madera o metal.

En la vida cotidiana haces muchos movimientos corporales al encontrarte con las personas; por ejemplo, cuando saludas a alguien.

Lección 13 Música de cristal

Hoy continuarás jugando y experimentando con sonidos de diferente altura; los representarás gráficamente y los ejecutarás por medio de cotidiáfonos.

Lo que conozco

Describe con tus propias palabras qué es o cómo distingues la altura de un sonido.

____

____

____

- Pongan agua a distintos niveles en las botellas que trajo su maestro y colóquenlas con cuidado como se muestra en la imagen de la siguiente página.
- Uno o varios de ustedes toquen las botellas con la varita que llevaron, para escuchar la altura de los sonidos que emiten.

¿Tienen distinta altura? ¿Cuál suena más agudo: la que tiene más agua o la que casi no tiene? ¿Cuál suena más grave?

Pitágoras, un matemático griego, realizó varios experimentos para probar la relación que hay entre el peso y el tamaño de los objetos para producir sonidos de distinta altura, es decir, graves o agudos. Ustedes harán un experimento similar a los que hizo Pitágoras.

Ahora es tiempo de que construyas un instrumento musical con objetos de uso cotidiano. A los instrumentos fabricados con estos materiales se les conoce como **cotidiáfonos.**

Etiqueten las botellas del uno al cinco según su altura, es decir, pongan "1" en la botella que tenga el sonido más grave, y "5", en la que suene más agudo.

Ahora, en tu cuaderno, crea una breve combinación de sonidos de diferentes alturas, por ejemplo: 5, 4, 3, 2, 1, 3, 5, 4, 2, 5, 1. ¡Estarás componiendo una **melodía**, al combinar sonidos de diferentes alturas! Si haces algunas breves pausas entre un sonido y otro, tu melodía será más interesante. Cuando termines tu obra, ponle un título.

Luego, cada uno pasará al frente a tocar su composición en las botellas.

El cotidiáfono que construiste hoy se llama **botellófono**. Es importante que sepas que en tu casa, con ayuda de familiares, puedes construir un botellófono para seguir creando y tocando tus combinaciones. Aquí sugerimos un instrumento para todo el grupo, porque es peligroso que lleves varias botellas de vidrio a tu salón.

¿Qué melodías encuentras en la naturaleza? Escucha con atención y descúbrelas.

Para la próxima clase...
Necesitarás un gis.

Un dato interesante
Es posible crear un sonido al frotar suavemente tus dedos mojados en el borde de una copa de cristal con agua. Pide ayuda a un adulto e inténtalo.

Lección 14 Una extraña transformación en el escenario

En esta ocasión, para continuar con tus experiencias en escena, aprenderás a desarrollar desplazamientos naturales en un escenario.

Lo que conozco

¿En cuántas zonas se divide un escenario?, ¿cuáles son?

Imagina que un día despiertas, abres los ojos, quieres estirar los brazos, dar un buen bostezo y no puedes. ¡Algo extraño sucede! ¡No puedes moverte! No sabes qué pasa. Te preocupas. Tratas de tocar tu cuerpo, pero tampoco puedes. Entonces te das cuenta de que no tienes brazos ni piernas, sino unas patitas duras como de escarabajo. Tu cuerpo es duro, grande y en la espalda tienes un gran caparazón que te impide levantarte de la cama. Desesperado, quieres gritar: "¡Mamá! ¡Ayúdame!".

Algo así le sucedió a Gregorio Samsa, quien despertó una mañana convertido en insecto. Pero no te preocupes, esto ocurrió en una novela llamada *La metamorfosis*, del escritor checoslovaco Franz Kafka.

En esta lección jugarás a transformar tu cuerpo mientras te desplazas en el escenario.

- Con la ayuda de su maestro, dividan el grupo en equipos. Salgan al patio. Con el gis dibujen un escenario y marquen sus zonas, como lo hicieron en la lección 5.
- Todos los miembros del equipo entren juntos al escenario. Cada uno experimente una transformación durante su trayectoria. Por ejemplo, pueden entrar como humanos y transformarse poco a poco en escarabajo o en otro animal que elijan.
- A medida que avancen por el escenario, hagan diferentes desplazamientos: agacharse en cuclillas, brincar, caminar de lado, etcétera.

Consulta en:
Si deseas conocer más acerca de las obras de teatro, busca en la Biblioteca Escolar el siguiente libro:
Berta Hiriart, *¿Jugamos al teatro?*, México, SEP-El naranjo, 2007.

- Cuando lleguen a la zona central, ya estarán transformados en el animal de su preferencia. Así, continuarán su camino y saldrán del escenario.
- Si en el camino se encuentran con un compañero, recuerden reaccionar como el animal que eligieron, respeten su trayectoria y la de los demás.
- Hagan varias transformaciones. Pueden convertirse en todo tipo de animales: en los que se arrastran por el suelo o en los que vuelan.

Al final de la actividad comenten con los integrantes de su equipo: ¿qué experimentaron durante los desplazamientos por cada una de las zonas del escenario? ¿Cómo cuidaron la trayectoria de sus compañeros al realizar los desplazamientos?

Cuando tengan oportunidad de conocer un teatro, observen con atención todas las partes que lo componen.

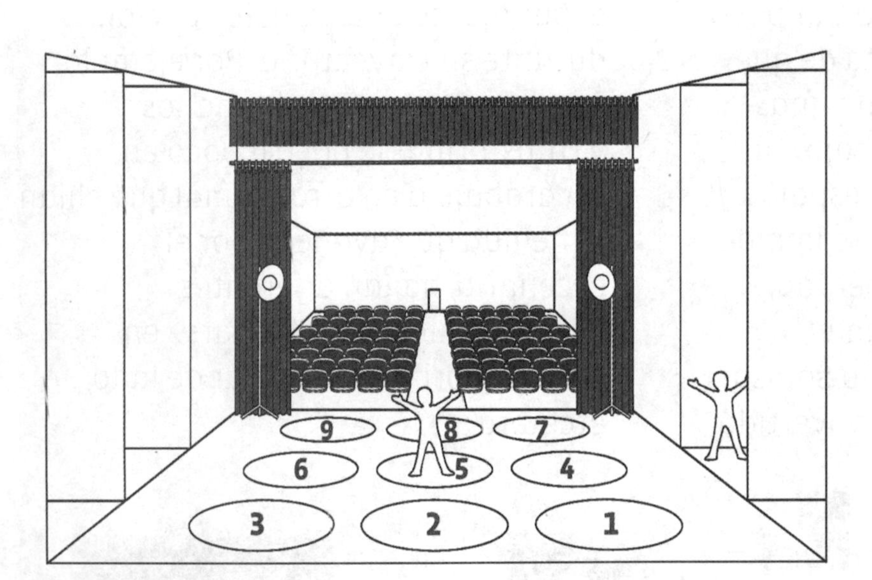

Para la próxima clase...
Necesitarás una caja de cartón mediana, cartulinas, tijeras, pegamento, pinturas y palitos de madera.

Consulta en:
Ingresa a <http://basica.primariatic.sep.gob.mx/>. Escribe en el buscador **todos somos importantes** para ver cómo se desplazan los actores en el escenario.

La manera en que se mueven los actores y los desplazamientos que hacen en el escenario son parte importante de la interpretación actoral.

Integro lo aprendido

Quizá ya tuviste la oportunidad de asistir a un teatro y disfrutar de una puesta en escena, o puede ser que hasta hayas pisado un escenario. Si no has ido, no te preocupes. ¿Qué pasaría si el teatro te buscara a ti y llegara hasta tu salón o hasta tu casa?, ¿sería posible? ¡Claro que sí!

El **teatro de juguete** es un espacio para hacer obras con títeres pequeños.

Este teatro es mágico porque en una pequeña caja se guardan grandes espectáculos, ¡incluyendo a los actores y la escenografía! Gracias al teatro de juguete, las artes escénicas han llegado hasta los pueblos más lejanos.

Esta actividad te puede llevar tiempo. Tienes la opción de realizarla en casa con ayuda de tus familiares o, junto con tu maestro, elegir un día y un espacio en que puedan trabajar.

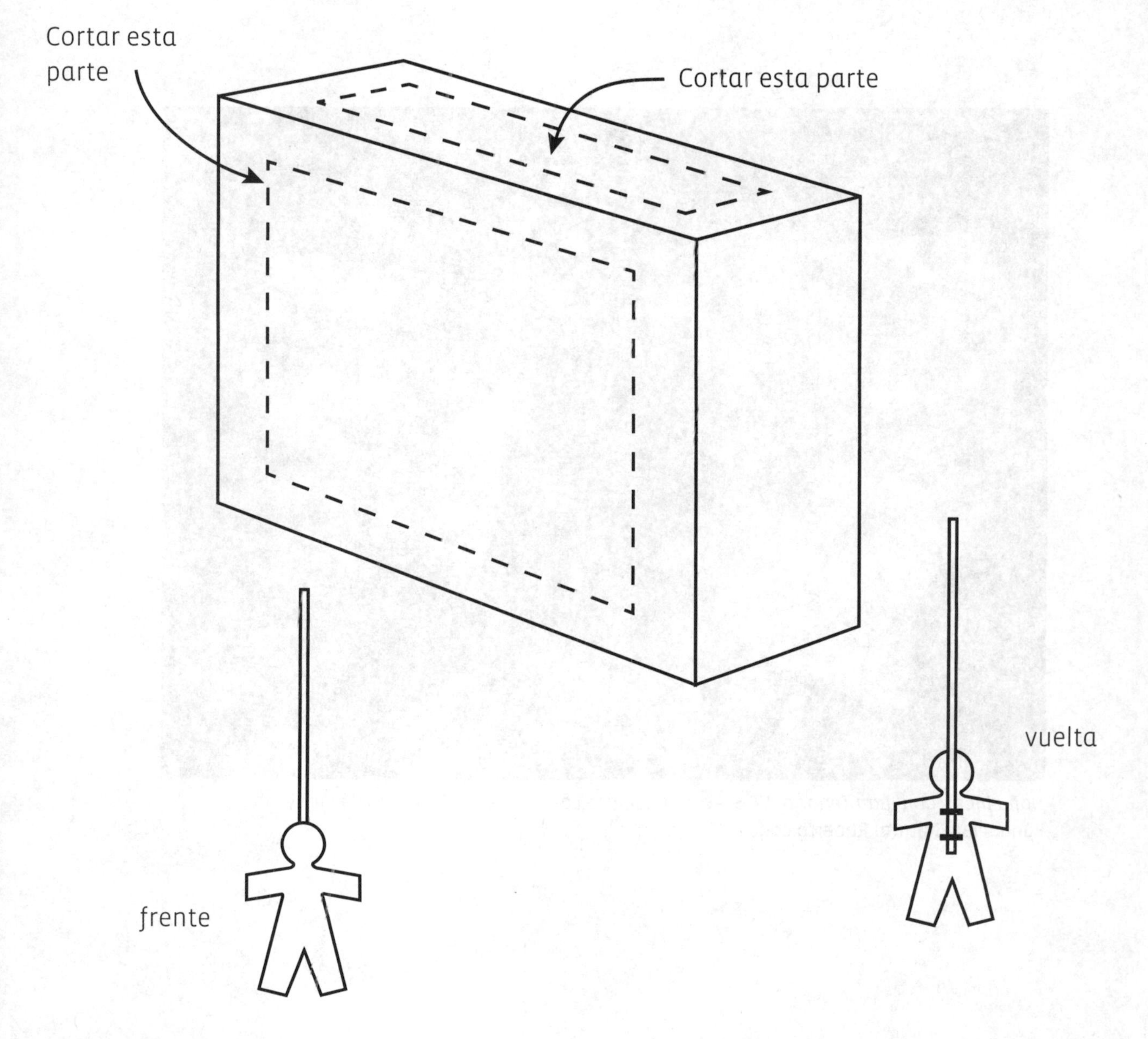

Comienza por trazar dos rectángulos en tu caja, uno al frente y otro en la parte de arriba. El frente debe ser uno de los lados más grandes. Observa las imágenes de la página anterior.

Ahora recorta cada uno de esos rectángulos. El más grande será el marco de tu escenario y en el otro manejarás a tus títeres. Decora tu teatro de juguete utilizando la técnica que más te guste, recuerda lo que aprendiste en la lección 10 "¿Con qué pinto lo que pinto?". ¿Cómo le pondrías un telón que pueda abrir y cerrar?

Cuando lo termines, necesitarás una historia para representarla. Escoge una que te guste. Dibuja los personajes en la cartulina, coloréalos, recórtalos y pégalos en cartón u otro material resistente. Detrás de ellos pega un palito para que los manejes desde arriba.

Ahora sólo te faltan los decorados o escenografías. Recorta varias hojas de cartulina del tamaño del fondo de tu caja, pinta sobre ellas las escenas que necesites y ¡listo!, tienes ya todo lo necesario para tu representación.

Doña Inés y don Juan Tenorio, 1943. Acervo Roberto Lago Salcedo, Colección de Tito y Tita, Fundación Cultural Roberto Lago A. C. INBA.

Ensaya tu historia: diseña por dónde se moverán tus muñecos, usando las zonas del escenario que ya conoces. Si lo deseas, agrega música a tu representación, tal vez un amigo pueda ayudarte tocando el botellófono. Cuando estés listo, presenta tu trabajo en el salón o en tu casa.

Conserva tu teatro de juguete y ¡representa todas las historias que quieras, no hay límites! Comenta con tu maestro, con amigos o familiares: ¿qué significó para ti crear tus propios juguetes?, ¿qué sentiste y qué pensaste al ver tu trabajo terminado?, ¿podrías agregar luces a tu teatro?, ¿cómo?

El ratoncito Pérez y la cucarachita Mondinga, 1940. Acervo Roberto Lago Salcedo, Colección de Tito y Tita, Fundación Cultural Roberto Lago A. C. INBA.

Para la próxima clase...

Durante la semana, observa en diferentes momentos los rasgos de tu cara y las características físicas de tu cuerpo. Si puedes, utiliza más de un espejo.

Necesitarás una foto tuya, un soporte de tu muestrario, lápiz, goma y los materiales que se requieren para trabajar con la técnica que prefieras.

Bloque IV

Lección 15 La expresión del retrato

Observar es una actividad que llevamos a cabo constantemente; aquí aprenderás a expresar tu creatividad mediante la elaboración de un retrato a partir de la observación y la memoria.

Lo que conozco

¿Qué clases de retratos conoces? ¿Cómo pintarías en un retrato a tu mamá o a tu papá cuando se enojan?, ¿con qué materiales podrías hacerlo?

El **retrato** es una representación de una persona, de dos o de un grupo. En él se plasman características físicas del individuo, su forma de vestir o adornarse, y hasta es posible que se muestre su carácter o su estado de ánimo. Puede ser un dibujo, una pintura, una fotografía o una escultura.

El retrato ha existido a lo largo de la historia de la humanidad. A través de él podemos conocer cuál era la forma de vestir en determinada época, así como las costumbres y las actividades de ese momento.

120 cm

Diego Velázquez (1599-1660), *Las meninas* o *La familia de Felipe IV* (fragmento), 1656, óleo sobre lienzo, 276 × 318 cm.

En el retrato puede aparecer la figura de una persona, ya sea de manera parcial o completa. Existen diferentes tipos: de **cuerpo entero**, en los que se ve a la persona completa; **bustos**, donde se aprecia únicamente la cabeza y el pecho; y **rostros**, en los que sólo se observa la cara.

También está el **autorretrato**, en donde el artista se representa a sí mismo.

Observa la imagen de la página anterior y comenta con tus compañeros qué tipo de retrato es el de la niña que está en el centro de la pintura.

El día de hoy harán un autorretrato. Antes de empezar, respondan las siguientes preguntas: ¿qué me caracteriza?, ¿qué cosas me gustan?, ¿en qué espacios me siento mejor?

En los retratos y autorretratos el sujeto puede estar de pie, sentado, acostado o en otras posiciones. Puede aparecer con su mascota, montando un caballo, con sombrero, en su lugar preferido, con algo que identifique cuál es su profesión o trabajo.

- Recuerda todo lo que observaste frente al espejo durante la semana, también te puede servir la fotografía que traes. ¿Qué forma tiene tu rostro?, ¿cómo son tus características físicas? Fíjate bien en tu cara, ¿qué expresión tiene? Observa tu ropa y cuál es tu postura. Toma en cuenta estas características para hacer el autorretrato. También puedes tomar en cuenta los elementos del entorno.
- Elige el tipo de autorretrato que dibujarás.
- Con tu lápiz comienza los trazos y luego ponle color con la técnica que elegiste.

Cuando termines tu autorretrato elabora su cédula. En grupo, compartan sus obras colocando los trabajos en un lugar donde puedan apreciarse y observen respetuosamente el parecido con los compañeros retratados. ¿Lograron plasmar sus características físicas?, ¿qué elementos están presentes en el autorretrato y ausentes en la realidad?

Un dato interesante

Frida Kahlo (1907-1954), pintora mexicana nacida en la ciudad de México, hizo muchos autorretratos.

Consulta en:

Ingresa a <http://basica.primariatic.sep.gob.mx/>. Escribe en el buscador **retrato** y señala qué tipos de retratos son.

Para la próxima clase...

Necesitarás un reproductor de sonido para todos y música que les guste.

Lección 16 Lo que hace la mano hace el de atrás

En esta lección aprenderás a bailar en dúos, tríos, cuartetos y quintetos.

Lo que conozco

Intenta hacer los mismos movimientos con un compañero, luego con tres, y después, con cuatro. ¿Es fácil lograr que todos sigan los mismos movimientos?

En danza, **un dúo** o **dueto** se forma cuando bailan dos personas juntas. ¿Cómo crees que sean entonces los tríos, cuartetos y quintetos? Coméntalo con tu maestro y tus compañeros.

- Vayan a un lugar amplio y formen dúos, tríos, cuartetos y quintetos.
- Un compañero será el guía del grupo y deberán seguirlo a todas partes creando distintas trayectorias. Éstas son algunas ideas, pero ustedes pueden inventar muchas más: caminen en zigzag o haciendo curvas en el espacio. Prueben ahora haciendo líneas de otras formas.
- ¿Pueden trasladarse de un punto a otro caminando todos con el mismo pie y al mismo tiempo?
- Organícense para cambiar de guía cuantas veces quieran y así probar distintas trayectorias.

Entre el cielo y la tierra, compañía de Tania Pérez Salas, 2003.

Los bailarines y danzantes también realizan distintas formaciones en el espacio cuando bailan. Intenten realizar las suyas; por ejemplo, ¿cómo formarían un triángulo con su equipo? Cuando tengan su formación, el guía propondrá algunos movimientos y los demás los harán exactamente igual. Utilicen música de fondo y túrnense nuevamente para ser guías, de modo que todos puedan proponer movimientos.

Finalmente, reúnanse y reflexionen: ¿lograron coordinarse para seguir al guía? ¿Cómo lo hicieron? ¿Qué se les facilitó y qué se les dificultó? Escriban sus reflexiones y compártanlas con los demás.

En la danza, como en otras disciplinas, es muy importante el trabajo en equipo. Los bailarines deben estar muy atentos para coordinarse al bailar juntos. El trabajo en equipo requiere escuchar y respetar a los demás, así como la participación de todos los integrantes.

Consulta en:
Ingresa a <http://basica.primariatic.sep.gob.mx/>. Escribe en el buscador **danza** para saber más sobre el tema.

Ballet Sachin Shanker, India, 2001.

Para la próxima clase...
Necesitarás un reproductor de sonido para todos y una canción infantil tradicional.

Lección 17 El canto de las sirenas

Aquí aprenderás a identificar la melodía de diversos cantos tradicionales de la lírica infantil y reconocerás en ellos la combinación de diferentes alturas.

Lo que conozco

¿Puedes hacer sonidos de distinta altura con tu voz?

¿Sabes qué es una sirena? Hace cientos de años, en la antigua Grecia, se creía que en mares misteriosos y llenos de peligros existían mujeres con cola de pez o cuerpo de ave, cuyo canto maravilloso atraía de forma irresistible a los marinos y los hacía naufragar. Ulises, un héroe griego, se ató al mástil de su barco para poder escuchar el canto de estas criaturas sin dejarse

arrastrar por él. ¡Las sirenas existen! Pero no son mujeres con cola de pez.

Hoy en día las sirenas sí cantan, pero en las ambulancias y en las patrullas de policía. ¿Conoces el sonido que hace la sirena de esos vehículos?

Estas sirenas hacen un sonido largo que cambia de altura de manera constante, es decir, pasa de agudo a grave y regresa a los agudos una y otra vez. Imiten una ambulancia para jugar con distintas alturas.

¿Conocen alguna canción infantil? Existen muchas en el material "Cantemos juntos". Pidan ayuda a su maestro para que los guíe. Cierren los ojos y escuchen con atención alguna canción de la música que trajeron.

- Cántenla sólo en su mente, no produzcan ningún sonido.
- Luego, vuelvan a escucharla y, esta vez, imiten la melodía suavemente con la boca cerrada prolongando la letra *m*.

Un dato interesante

El italiano Gioacchino Rossini (1792-1868) compuso una obra en la que pidió a dos cantantes femeninas ¡maullar agudamente como dos gatos!

Formen dos equipos.

- Un equipo silbará la canción y el otro la va a tararear; de esta manera estarán representando otra vez la melodía de su canción.
- Ahora, de manera individual, identifiquen las partes de la canción donde el sonido sube o baja, es decir, sus diferentes alturas. Para ello:
  - Tracen en una hoja blanca una línea horizontal a todo lo largo.
  - Vuelvan a silbar la canción, escuchen atentamente las diferentes alturas.
  - Dibujen sin despegar el lápiz de la hoja, los sonidos agudos arriba de la línea horizontal y los sonidos graves abajo; así les será más fácil identificar las diferentes alturas.
- Observen los trazos de sus compañeros. ¿Son iguales o diferentes? ¿Por qué?

¿Alguna vez has sentido que tu cuerpo vibra al escuchar música? ¿Cómo podrías percibir sonidos con tu cuerpo sin utilizar los oídos? Coméntalo con tus compañeros.

Los músicos entrenan mucho su oído para reconocer las características del sonido y así crear música. Por ello es importante que realices varios ejercicios para entrenar tu oído musical.

Consulta en:
Ingresa a <http://basica.primariatic.sep.gob.mx/>. Escribe en el buscador **canciones** para escuchar algunas.

Para la próxima clase...
Necesitarás música relacionada con la naturaleza y un reproductor de sonido para todos.

Lección 18 ¡Lleno de energía!

Ahora aprenderás a reconocer los distintos niveles de energía que empleamos para movernos.

Lo que conozco

¿Qué movimientos realizas fácilmente en tu vida cotidiana y cuáles se te hacen más complicados?

Este juego de expresión corporal te ayudará a explorar los diferentes niveles de energía que utiliza un actor en un escenario.

Tal vez has tenido la suerte de ver a un pollito saliendo del cascarón o has observado cómo germina una semilla.

Jugarás a representar con tu cuerpo el movimiento de un ser que nace de una semilla o de un huevo y todo su desarrollo.

Cada uno de ustedes elegirá si quiere ser semilla o nacer de un huevo y en qué tipo de planta o animal desea convertirse. Recuerden que hay muchos animales ovíparos: peces, anfibios, reptiles, aves e insectos, y que las plantas nacen de semillas.

- Una vez elegido su papel, formen dos equipos y, con ayuda de su maestro, despejen un área del salón para llevar a cabo la actividad. Pueden acompañarla con música relacionada con sonidos de la naturaleza. En un lado del salón, colóquense los ovíparos, y en otro, las semillas. Ambos equipos trabajarán al mismo tiempo.
- Si decidiste ser un ovíparo, permanece en reposo dentro del huevo hasta que tu maestro te indique que empieces a nacer. Dentro del huevo no te puedes mover mucho, pues ya estás lo suficientemente grande para nacer. Explora tu cascarón y busca el punto más débil.

Nido de mirlo.

Para todo hay un tiempo–There is a time, compañía de danza José Limón, 2010.

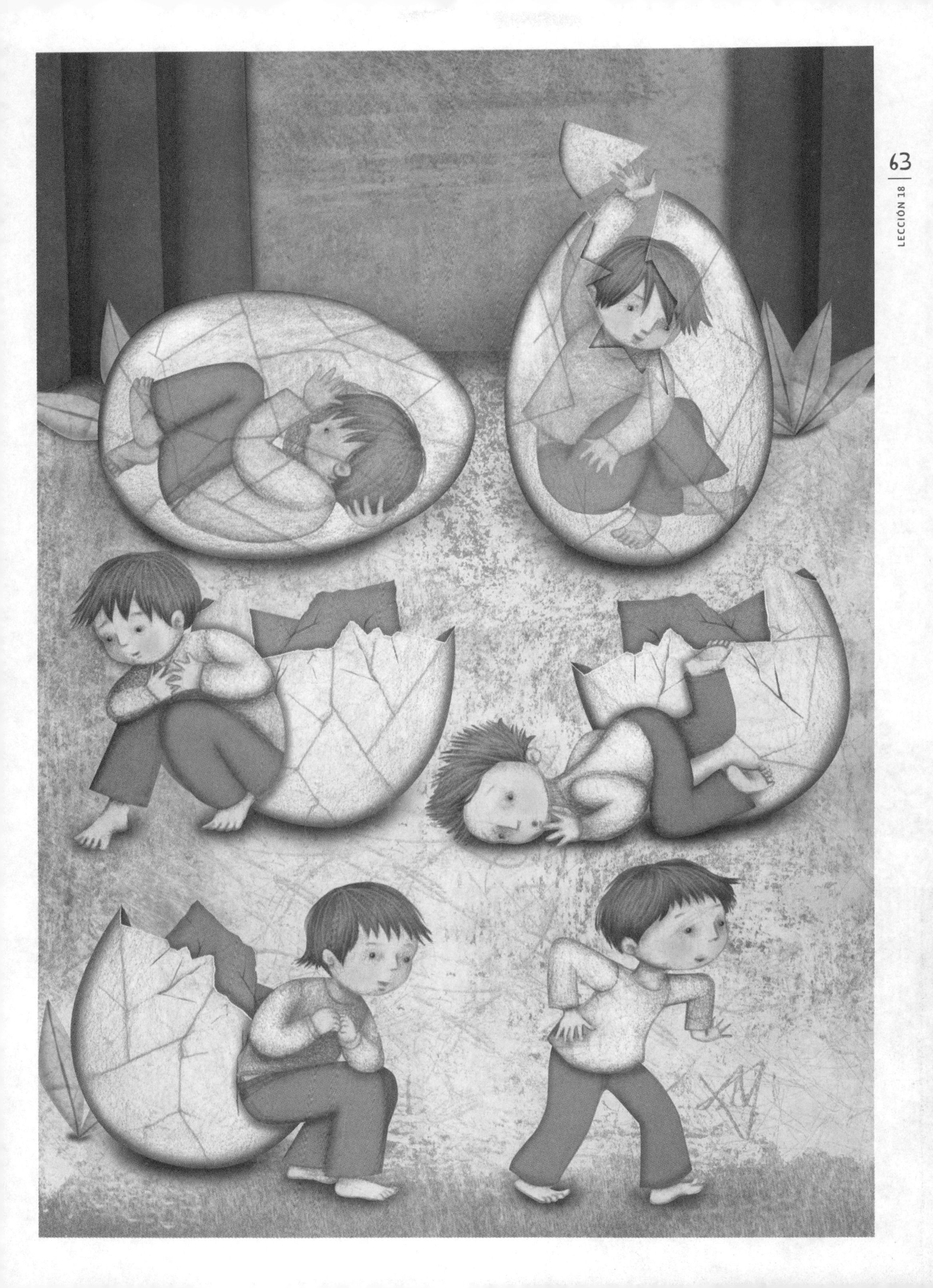

Trata de romperlo. Cuando logres salir de él empieza a caminar como el animal que elegiste.

- Recuerda que eres un recién nacido y no te resulta sencillo moverte. Explora lo que te rodea; es la primera vez que lo ves.
- Continúa tu crecimiento hasta que te conviertas en un animal desarrollado, que puede caminar, arrastrarse, nadar o volar rápidamente.
- De pronto te comienzas a sentir cansado, ya no te puedes mover fácilmente: has envejecido. Poco a poco te vas quedando muy quieto.
- Si eres una semilla, ábrete con lentitud hasta que comience a salir desde tu centro un pequeño brote que se convertirá en tu primera hoja.

El crecimiento de las plantas es muy lento, debes representarlo de esta manera hasta que te conviertas en un gran árbol.

- Después de un tiempo tus hojas comienzan a caer, dejas de dar frutos y tus ramas se secan, hasta que te conviertes en un árbol seco.

Semilla de frijol germinando.

Al finalizar, comenta con tus compañeros: ¿cómo sentiste la energía de tu cuerpo en los diferentes ciclos de vida que interpretaste? ¿Qué tipo de emociones sentiste? A los humanos nos caracterizan distintos tipos de movimientos que dependen de la edad que tenemos, de la profesión que realizamos, de la cultura a la que pertenecemos e incluso de nuestro carácter. Algunos movimientos requieren más energía que otros.

Gian Lorenzo Bernini (1598-1680), *Apolo y Dafne*, 1622-1625, mármol de Carrara, 243 cm.

Para la próxima clase...
Necesitarás objetos del Baúl del arte con los que se puedan hacer sonidos graves y agudos.

Integro lo aprendido

En un autorretrato un artista se describe o se representa a sí mismo.

¿Con qué técnicas consideras que se pueden hacer autorretratos? ¿Cómo te retratarías utilizando la danza, la música o el teatro?

Con sonidos, palabras, gestos o movimientos puedes retratar tus facciones, tus ideas y pensamientos.

Haz tu autorretrato utilizando los aprendizajes que adquiriste durante este bloque. Tienes varias opciones:

- Utiliza objetos que produzcan sonidos graves y agudos para crear una composición que te describa: ¿eres juguetón, te gusta brincar o disfrutas leer? Escribe tu obra usando dibujos y distintas marcas. Ponle un título.

120 cm

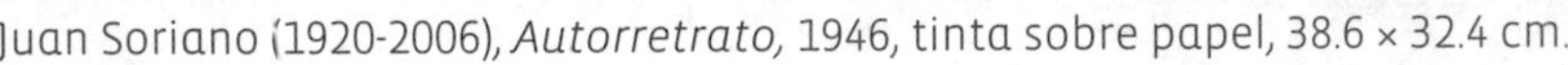

Juan Soriano (1920-2006), *Autorretrato,* 1946, tinta sobre papel, 38.6 × 32.4 cm.

- Represéntate con movimientos de tu cuerpo y con gestos. Utiliza distintos niveles de energía. Experimenta. ¿Eres ágil?, ¿te gusta hacer las cosas despacio?, ¿no te gusta permanecer quieto? Es importante que no uses palabras.
- Si lo prefieres, realiza tu autorretrato con danza junto con otros compañeros. Formen dúos, tríos o cuartetos y ayúdense a representarse. Por ejemplo, si son un trío, uno puede representar su parte juguetona, otro su lado tímido, mientras otro canta su canción favorita y todos bailan al ritmo de ésta.

Presenten al grupo su trabajo o, si son muchos alumnos, divídanse en equipos. ¿Qué lenguaje utilizaste para hacer tu autorretrato?, ¿por qué seleccionaste ese lenguaje? ¿Cómo lograste trasmitir tus ideas?

Para la próxima clase...
Necesitarás uno o dos soportes de tu muestrario, imágenes de paisajes, lápiz, goma y lo necesario para la técnica que elijas.

Bloque V

Lección 19 Al aire libre

Los paisajes se encuentran a nuestro alrededor. Hoy aprenderás a expresarte pintando uno.

Lo que conozco

¿Qué tipos de paisajes conoces? ¿Cómo pintarías el entorno de tu escuela? ¿Hay gente, animales o plantas? ¿Qué hora del día te agrada más? ¿Puedes ver el horizonte?

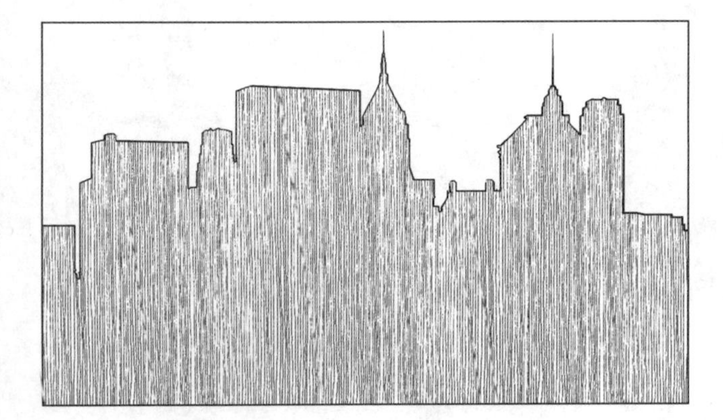

En la pintura o en la fotografía, el **paisaje** es una representación bidimensional de algún lugar, real o imaginario. El artista plasma en él lo que lo rodea, lo que capta con su vista o con su cámara fotográfica, pero tiene la posibilidad de modificar o agregar los elementos que quiera.

De acuerdo con el lugar donde vives, podrás observar diferentes paisajes. Por ejemplo, es probable que las personas que viven en ciudades vean menos paisajes naturales que las que viven en el campo porque en ellas hay

Nueva York, zona Battery Park.

edificios, postes, bardas, anuncios espectaculares y puentes que, en ocasiones, limitan el campo visual.

En cambio, en el campo el paisaje aparece más amplio y la línea del horizonte generalmente se aprecia a simple vista.

Observen las imágenes que trajeron. Analícenlas y coméntenlas en grupo.

- ¿Cuáles elementos están cerca y cuáles lejos?
- ¿Hay formas geométricas?, ¿cuáles?
- ¿Qué colores hay en la imagen?
- ¿Qué tipo de paisaje es?
- ¿Qué sensaciones te transmite?

Donde vives seguramente conoces lugares que recuerdas con facilidad, como el parque, la escuela o la plaza principal.

El Dr. Atl en el Popocatépetl.

Dr. Atl (1875-1964), *Arroyo y cráter*, s/f, color sobre masonite, 36 × 50 cm.

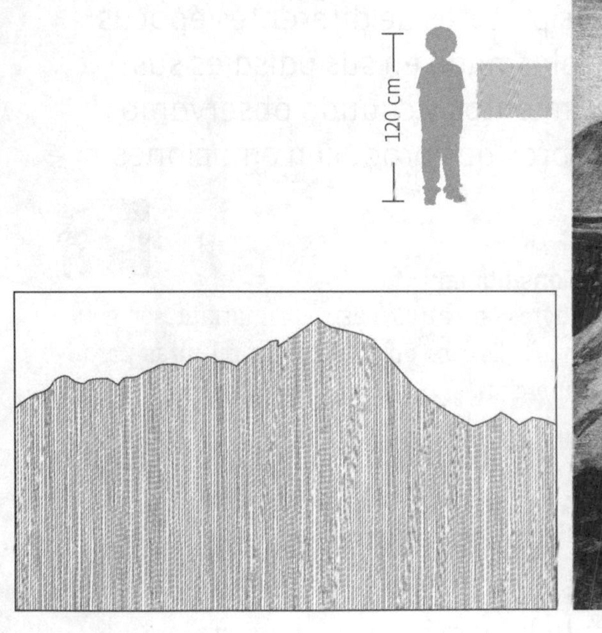

En un paisaje podemos reconocer características de la región representada: el tipo de vegetación o animales que hay, la estación del año y muchos otros elementos.

Elabora un paisaje.

- Salgan al patio o, si es posible, caminen fuera de la escuela. No olviden llevar el material, ya que trabajarán al aire libre.
- Observa y reconoce los elementos del paisaje. ¿Qué formas encuentras en el lugar? ¿Qué colores predominan? ¿Hay vegetación? ¿Hay gente? ¿Qué otros elementos ves?
- Elaborarás tu paisaje a partir de la observación. Coloca tu soporte en una base y elige el ángulo desde el cual quieres realizarlo. Comienza los trazos con tu lápiz y luego dale color con la técnica que elegiste.

Cuetzalan, Puebla, 2007.

- Cuando lo termines haz su cédula. Comparte con tus compañeros tu obra en una exposición y observen las diferencias. No se trata de decir cuál es el mejor, sino de reconocer que cada quien tiene una forma de expresarse. Recuerda guardar tus trabajos.

¿Lograste plasmar el paisaje en tu trabajo?, ¿qué dificultades encontraste? Todos pintaron lo mismo; sin embargo, ¿en qué se diferencian los trabajos?

Durante la semana crearás un paisaje que te guste.

- Pide a un familiar que te acompañe para observar el lugar que dibujarás, pintarás o registrarás con tu cámara fotográfica, si tienes una.
- En el paisaje que exploraste, ¿pudiste observar algún tipo de contaminación? ¿Te has preguntado qué puedes hacer para disminuirla? Comenta con tu familia qué acciones pueden llevar a cabo.

Los pintores de diferentes épocas han plasmado en sus paisajes sus sentimientos y cuando observamos sus obras nos producen emociones.

Consulta en:
Ingresa a <http://basica.primariatic.sep.gob.mx/>. Escribe en el buscador **pinturas** para apreciarlas.

Para la próxima clase...
Necesitarás un reproductor de sonido para todos y música que te guste.

Algunas técnicas de ilustración

Lección 20 Debut colectivo

En este último bloque crearás una danza colectiva aplicando todos los conocimientos que has adquirido en tus clases.

Lo que conozco
¿Qué necesitas para trabajar en equipo? Coméntalo con tu maestro y con tus compañeros.

Las danzas se componen por secuencias de movimientos y cuando varias personas participan en su creación e interpretación se les llama **danzas colectivas**.

Una **secuencia** es una serie de varios movimientos o pasos; por ejemplo, una secuencia de seis acciones puede consistir de dos saltos hacia adelante, tres aplausos y un giro.

Una **coreografía** es la representación de un baile en papel, por medio de signos y de anotaciones.

Con todo lo que aprendiste en expresión corporal y danza, en los años anteriores y en éste, tienes las herramientas necesarias para tu debut, es decir, para crear y presentar, ¡tu primera danza colectiva en grande!

Blancanieves y los siete enanos, Teatro Mladinsko, 2007.

Ni una más, compañía Rossana Filomarino, 2004.

- En una danza es importante el manejo del espacio. ¿Recuerdan las trayectorias y figuras que crearon en la lección "Lo que hace la mano hace el de atrás"?, éstos son elementos que también pueden integrar. Por ejemplo, para entrar al escenario, pueden dividirse en dúos, tríos o cuartetos y después hacer todos juntos su secuencia colectiva. Ustedes deciden y organizan la estructura de su danza.
- Seleccionen y combinen movimientos para elaborar una secuencia colectiva. Decidan cómo lo harán. Una forma es que cada uno proponga un movimiento para luego integrarlo. Practiquen su secuencia con la música que trajeron de casa hasta que les salga a todos.
- ¡Ahora sí!, presenten su experimento dancístico. Pueden invitar a sus compañeros de otros grados como público; al final de su presentación, pídanles algunos comentarios acerca de su trabajo.

Reflexionen sobre el proceso que vivieron durante este ejercicio, ¿cómo hicieron para organizarse y presentar su danza?, ¿cuáles fueron los comentarios de su público?, ¿cómo se sintieron al exponer su trabajo?

Hacer una danza colectiva requiere de una gran labor de equipo: hay que hacer propuestas y escuchar las opiniones de los demás. La crítica positiva y una autoevaluación honesta te ayudarán a mejorar cualquier trabajo que hagas.

Consulta en:
Ingresa a <http://basica.primariatic.sep.gob.mx/>. Escribe en el buscador **danzas**, disfrutarás de diferentes géneros.

Un dato interesante
Los coreógrafos son las personas que dirigen a los bailarines en el escenario para crear y organizar la danza.

Fuenteovejuna, Ballet Nacional de España, 2004.

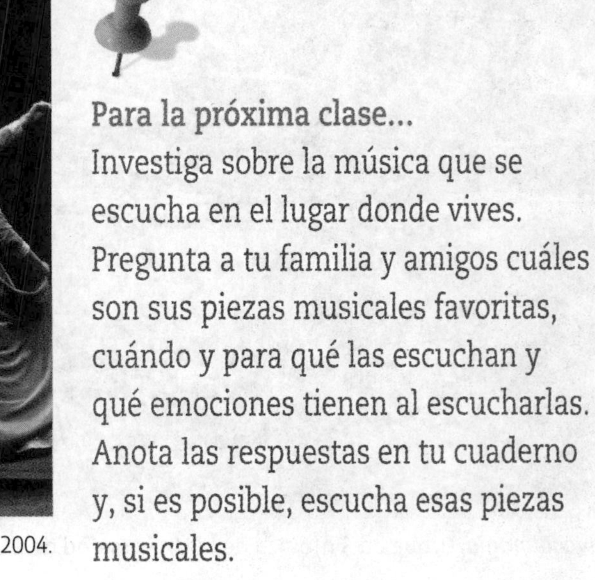

Para la próxima clase...
Investiga sobre la música que se escucha en el lugar donde vives. Pregunta a tu familia y amigos cuáles son sus piezas musicales favoritas, cuándo y para qué las escuchan y qué emociones tienen al escucharlas. Anota las respuestas en tu cuaderno y, si es posible, escucha esas piezas musicales.

Lección 21 Tu música, mi música, nuestra música

Ahora aprenderás a reconocer y apreciar diferentes géneros de música del lugar donde vives, así como su función.

Lo que conozco

¿Identificas diferencias entre varios tipos de música? ¿Cuáles serían estas diferencias?

____

____

La música tiene distintas funciones. Se usa para bailar, para cantar, para ceremonias religiosas, etcétera. También hay música en los teatros, en los desfiles militares y en las plazas públicas, que puede ser tocada por uno, dos, tres o muchos músicos a la vez.

¿Cúal es tu música favorita?

La música se clasifica en **géneros** y existen tres principales. El primer género es el de la música **académica** o culta (se le llama así porque ha cultivado un sistema de escritura universal) y a él pertenecen piezas que fueron compuestas usando amplios conocimientos musicales.

Esta música generalmente es ejecutada en salas de concierto por grandes orquestas, pero también puede ser interpretada por un solo músico, como un pianista o un violinista. ¿Has escuchado alguna vez este tipo de música?, ¿qué pieza?, ¿dónde?

Vive la magia, Orquesta Sinfónica de la Universidad de Guanajuato, 2001.

El siguiente género es el **popular.** Esta música tiene un amplio alcance y es apreciada por una gran cantidad de personas. Puede ser muy sencilla o muy compleja. A este género pertenecen el rock, el pop, el rap y la banda, entre otros. ¿Qué música de este género has escuchado?

____

____

____

Finalmente está el género **tradicional.** Éste muestra la identidad y las costumbres de alguna región o país y se ha transmitido de una generación a otra desde hace decenas o hasta cientos de años. Esta música se toca en fiestas, ceremonias o en danzas religiosas de los pueblos. Escribe el nombre de una obra musical de este género.

____

____

____

Niños mixes de la Escuela de Música de Tlahuitoltepec, Oaxaca, 1994.

¿Qué música escuchan en el lugar donde vives? Formen cuatro equipos y numérense.

- Comenten en equipo qué música escuchan sus familiares y amigos. ¿A qué géneros pertenecen esas piezas musicales?, ¿cuál es su función?, y ¿qué instrumentos utilizan? También pueden comentar qué emociones les producen.
- Su maestro dibujará en el pizarrón la tabla de abajo para realizar la actividad.
- Cada equipo mencionará una de las canciones que tiene en su lista, cantará un fragmento y la describirá. El resto de los equipos la clasificará. Por ejemplo, el equipo dos dirá a qué género pertenece; el equipo tres mencionará alguna de sus características; y el equipo cuatro, su función. Túrnense para que todos los equipos puedan hacer las distintas clasificaciones.
- En las diferentes estaciones de radio puedes escuchar música muy variada. Escúchala y clasifícala por géneros.
- Al finalizar, comenten entre ustedes: ¿cuáles de los géneros se escuchan en tu región? ¿Cuál es el que más te gusta? ¿Cuáles no se escuchan en el lugar donde vives?

¿Para qué puede servir que alguien conozca diferentes tipos de música?

Canción	Género	Características	Función
El zopilote	Tradicional	Se toca con arpa y jaranas y se canta	Para bailar

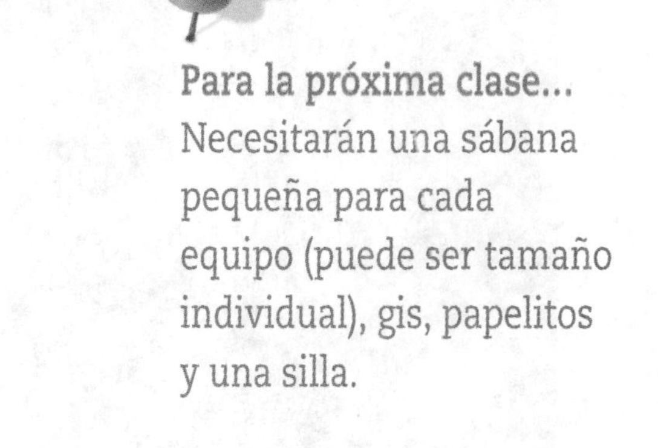

Para la próxima clase...
Necesitarán una sábana pequeña para cada equipo (puede ser tamaño individual), gis, papelitos y una silla.

Baile jarocho, puerto de Veracruz, 2010.

Un dato interesante
Georg Friedrich Händel (1685-1759) compuso música para que se tocara mientras estallaban en el cielo deslumbrantes fuegos artificiales.

Lección 22 Así me muevo, así soy

Aquí utilizarás las posibilidades de acción e interpretación que brindan las actitudes corporales.

Lo que conozco

Comenta con tus compañeros: ¿cómo es el movimiento de tu cuerpo cuando te sientes cansado? ¿Cómo cambia tu postura cuando hace frío o cuando hace calor? ¿Cómo te mueves cuando estás contento o triste?

Hay muchas cosas que influyen en tu comportamiento, en el movimiento de tu cuerpo y en tu postura.

En esta actividad descubrirás que el movimiento y las posturas de las personas pueden expresar sus emociones.

- Organícense en equipos. Cada equipo jugará a representar en el escenario la búsqueda de un objeto encantado, pero imaginarán que lo hacen en un momento extraño (por ejemplo, en la madrugada), en un lugar desconocido y con un clima diferente al que están acostumbrados.
- Hagan tres listas: una de climas, otra de lugares y una más de diferentes momentos del día. Escríbanlos en un papel para sortearlos. Cada equipo debe tener un papel con un clima, un lugar y un momento del día.
- Salgan al patio. Con un gis, tracen un escenario en el suelo y coloquen una silla en el centro, cubierta por la sábana. Cada equipo entrará al escenario moviéndose de acuerdo con el lugar, el clima y el momento del día que salió en el papel que eligió; deberán hacer como que buscan la silla encantada, pero no la pueden ver porque está cubierta. Realicen una larga caminata buscándola por las diferentes zonas del escenario.

- Representen con gestos y movimientos todo lo que sienten mientras caminan por el escenario buscando el objeto perdido. Consideren cómo reaccionan sus cuerpos en ese clima, qué les provoca el lugar y si están cansados o tienen mucha energía.
- Los alumnos que observan tratarán de adivinar qué están representando sus compañeros.
- Cuando lo descubran, quitarán la sábana de la silla encantada que cambia el estado de ánimo de quien se sienta en ella.
- Uno solo de los miembros de su equipo se sentará en la silla. Los demás lo observarán e imitarán su estado de ánimo.
- Uno a uno saldrán del escenario interpretando lo que corresponda. Por turnos, cada equipo realizará la misma actividad. Al finalizar, comenten qué situaciones representaron con facilidad y cuáles les costaron trabajo.

Los movimientos y las posturas del cuerpo expresan distintos sentimientos y emociones, como alegría y felicidad, también si te sientes cómodo o estás cansado. ¿Cuáles son las actitudes corporales de tu personaje favorito?

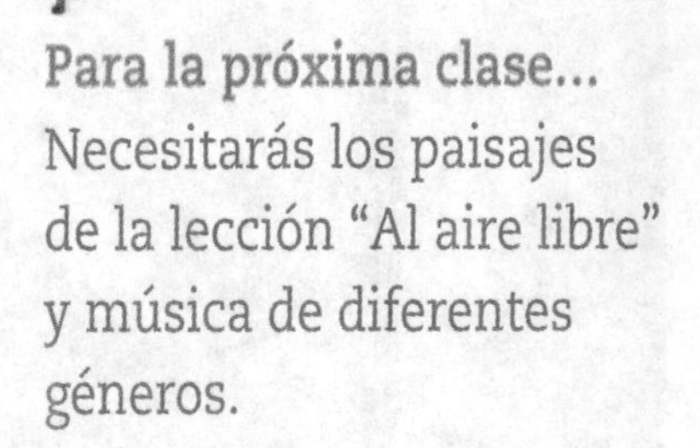

Para la próxima clase...
Necesitarás los paisajes de la lección "Al aire libre" y música de diferentes géneros.

Historias de viaje, Onírico, Danza Teatro del Gesto, 2004.

Los actores expresan muchas cosas con su cuerpo; de esta manera pueden contar historias, incluso sin usar palabras. **Por eso, para un actor es muy importante observar con atención las actitudes y posturas de las personas.**

Integro lo aprendido

La música, la danza, las artes visuales y el teatro te ofrecen muchas posibilidades para expresarte y conocerte. Además, cada uno de los lenguajes artísticos apoya y enriquece los demás.

Expongan en las paredes los paisajes que hicieron y obsérvenlos. ¿Qué pasaría si los observas mientras escuchas música de diferentes géneros?

- Elijan un paisaje que haya hecho algún compañero; obsérvenlo mientras escuchan una pieza de cada uno de los géneros musicales. Si son muy largas, escúchenlas sólo durante dos minutos.
- Al terminar, cada uno de ustedes decidirá cuál describe mejor el paisaje que eligió.
- Comenta con tus compañeros: ¿por qué elegiste esa música para ese paisaje? ¿Qué te hace sentir? ¿Consideran los demás que tu elección del género musical fue acertada? ¿Por qué?
- Ahora, con los compañeros que hayan elegido el mismo género musical que tú, realiza una secuencia sencilla de danza utilizando esa música. Pueden bailar en dúos, tríos o cuartetos.

Al finalizar, comenta con tus compañeros con qué música te gustó más realizar la observación y cuál te gustó más para bailar.

¿Piensas que por medio de la música se pueden dibujar paisajes?, ¿por qué? ¿Conoces alguna pieza musical que describa un paisaje?, ¿cuál?

Música y danza en la calle, Guanajuato, 2002.

Bibliografía

Aguilar, Nora, *Improvisation,* Pittsburgh, Universidad de Pittsburgh, 1988.

Anholt, Laurence , *Camille y los girasoles*, Barcelona, Serres, 1995.

_____, *Degas y la pequeña bailarina*, Barcelona, Serres, 1996.

Ball, Philip, *La invención del color,* México, FCE, 2004.

Blom, Lynne Anne y L. Tarin Chaplin, *The moment of movement. Dance improvisation*, Pittsburgh, Universidad de Pittsburgh, 1988.

Cañas, José, *Didáctica de la expresión dramática: una aproximación a la dinámica teatral en el aula*, Barcelona, Octaedro, 1992.

Casado, Jesús y Rafael Portillo, *Abecedario del teatro*, Sevilla, Centro de Documentación de las Artes Escénicas de Andalucía, 1992.

Cervera Borrás, Juan, *Historia crítica del teatro infantil español*, Madrid, Editora Nacional, 1982.

Dallal, Alberto, *Cómo acercarse a la danza,* México, SEP-Plaza y Valdés-Gobierno del Estado de Querétaro, 1988.

_____, *La danza contra la muerte*, México, UNAM, 1979.

Gardner, Howard, *Educación artística y desarrollo humano*, Madrid, Paidós, 1994.

Grotowski, Jerzy, *Hacia un teatro pobre*, Buenos Aires, Siglo XXI Editores, 1981.

Holm, Annika, *Anton y los dragones*, Barcelona, Serres, 2001.

Instituto Cubano del Libro, *Para hacer teatro*, Caracas, El Perro y la Rana, 2006.

Kandinsky, Wassily, *Punto y línea sobre el plano*, México, Colofón, 2007.

Kidd, Richard, *Daisy quiere ser famosa*, Barcelona, Serres, 2001.

Llovet, Jordi, *Ideología y metodología del diseño*, Barcelona, Gustavo Gili, 1981.

Materiales y Métodos Educativos de la Subsecretaría de Educación Básica y Normal, *Educación Artística. Libro para el maestro,* México, SEP, 2001.

Moncada, Francisco García, *Teoría de la música,* México, Ricordi, 1995.

Motos, Tomás Teruel, *Práctica de la expresión corporal*, Madrid, Ñaque Editora, 2006.

Oliveto, Mercedes y Dalia Zylberberg, *Movimiento, juego y comunicación. Perspectivas de expresión corporal para niños*, Buenos Aires, Noveduc, 2005.

Pescetti, Luis María, *Taller de animación musical y juegos*, Buenos Aires, Editorial Guadalupe, 1994.

Renoult, Noëlle, *Dramatización infantil: expresarse a través del teatro*, Madrid, Narcea, 1994.

Rodríguez, Félix y Rosario García, *Rítmica aplicada a la danza folklórica. Método de entrenamiento rítmico para bailarines*, México, FONCA, 2001.

Schiller, Friedrich, *Kallias. Cartas sobre la educación estética del hombre*, Barcelona, Anthropos, 2005.

Talens, Jenaro *et al.*, *Elementos para una semiótica del texto artístico. Poesía, narrativa, teatro, cine*, Madrid, Cátedra, 1978.

Vallon, Claude, *Práctica del teatro para niños*, Barcelona, CEAC, 1981.

Vygotski, Lev Semenovich, *La imaginación y el arte en la infancia*, Madrid, Akal, 1998.

Créditos iconográficos

Para la elaboración de este libro se utilizaron fotografías de las siguientes instituciones y personas:

p. 11: *Escena de circo*, 1940, María Izquierdo (1902-1955), acuarela sobre papel, 22.5 × 31 cm, colección Andrés Blaisten, México; **p. 13:** Cuadro huichol, estambre sobre madera y cera de Campeche, anónimo, Museo Nacional de Antropología, © Other Images, Conaculta-INAH-México, reproducción autorizada por el Instituto Nacional de Antropología e Historia; **p. 18:** *Don Quijote*, compañía Plasticiens Volants, 2003, Festival Internacional Cervantino, Guanajuato, fotografía de Bernardo Cid Nieto; **p. 24:** *El tianguis* (fragmento), 1923-1924, Diego Rivera (1886-1957), mural al fresco, panel izq., 459 × 240 cm, sobrepuerta 109 × 302 cm, panel der., 460 × 237 cm, edificio sede de la Secretaría de Educación Pública, ciudad de México, fotografía de Bob Schalkwijk D.R. © 2011, Banco de México, Fiduciario en el Fideicomiso relativo a los Museos Diego Rivera y Frida Kahlo, Av. Cinco de Mayo núm. 2, col. Centro, del. Cuauhtémoc, C. P. 06059, México, D.F., reproducción autorizada por el Instituto Nacional de Bellas Artes y Literatura (2014); **p. 25:** (arr.) *Cosmovitral* (detalle), 1978-1990, Leopoldo Flores Valdez (1934), estructura metálica, vidrio soplado y cañuelas de plomo, 3000 m², Toluca, Estado de México © Photo Stock, fotografía de Guylaine Cuttolenc; (ab.) *Los juguetes de Luisita*, 2006, José Luis Cuevas (1934), grabado al aguafuerte y aguatinta, 53 × 38.2 cm; **p. 26:** (arr.) *Madonna con foto de vaca de la película de Buñuel*, 1993, Alberto Gironella (1929-1999), *collage*, 137 × 105 × 7 cm; (ab.) *Pescado azul*, 1979, Francisco Toledo (1940), mixografía, 56 × 74.5 cm, cortesía Galería López Quiroga; **p. 27:** *Si el cielo bendice, todos somos felices, temporada de lluvia*, 2004, Juventino Díaz Celis (1977), acrílico sobre papel amate, 19.5 × 29.5 cm, Archivo Iconográfico DGMIE/SEP; **p. 32:** partitura de *El Mesías, oratorio en tres partes*, 1741, HWV 56, Max Schneider (ed.), Georg Friedrich Händel (1685-1759), Kassel, Barenreiter © (2007), p. 238, Biblioteca de la Escuela Nacional de Música, colaboración de Óscar Silva Zamora; **p. 35:** *Esquina bajan*, Compañía Nacional de Danza (2007), fotografía de Guillermo Galindo; **p. 36:** (izq.) *El puente de piedras y la piel de imágenes*, compañía Los Endebles, 2009, fotografía de Salvador Perches Galván; (der.) *Impresiones en el ánimo*, compañía Realizando Ideas, 2007, fotografía de Salvador Perches Galván; **p. 40:** *Autorretrato*, 1513, Leonardo da Vinci (1452-1519), tiza roja sobre papel, 33 × 21.6 cm © Other Images, fotografía de Noah Cohen; **p. 41:** (izq.) *Verano*, 1573, Giuseppe Arcimboldo (1524-1593), óleo sobre lienzo, 76 × 64 cm, fotografía de Faillet/Keystone-France © Other Images; (der.) *El oro del azur*, 1967, Joan Miró (1893-1983), acrílico sobre tela, 205 × 173 cm, colección Fundación Joan Miró © Other Images; **p. 42:** *Riachuelo*, 2007, Luis Alberto Ruiz (1971), acuarela, 56 × 76 cm; **p. 43:** *El dormitorio*, 1888, Vincent van Gogh (1853-1890), óleo sobre tela, 72 × 90 cm © Other Images; **p. 52:** *Doña Inés y don Juan Tenorio*, 1943, acervo Roberto Lago Salcedo, colección de Tito y Tita, Fundación Cultural Roberto Lago A. C., INBA; **p. 53:** *El ratoncito Pérez y la cucarachita Mondinga*, 1940, acervo Roberto Lago Salcedo, colección de Tito y Tita, Fundación Cultural Roberto Lago A. C., INBA; **p. 56:** *Las meninas o La familia de Felipe IV* (fragmento), 1656, Diego Velázquez (1599-1660), óleo sobre lienzo, 276 × 318 cm, colección del Museo del Prado, Madrid, España © Other Images; **p. 58:** *Entre el cielo y la tierra*, compañía de Tania Pérez Salas, 2003, fotografía de José Jorge Carreón; **p. 59:** *Ballet Sachin Shanker*, India 2001, XXX Festival Internacional Cervantino, Guanajuato, fotografía de Daniel González Moreno; **p. 62** (izq.) *Para todo hay un tiempo-There is a time*, compañía José Limón, dirección artística: Carla Maxwell, Teatro de la Ciudad Esperanza Iris, 2010, fotografía de Christa Cowrie, Fototeca CENIDID; (der.) Nido de mirlo, © Other Images, fotografía de Peter Arnold; **p. 64:** Semilla de frijol germinando © Other Images, fotografía de Peter Arnold; **p. 65:** *Apolo y Dafne*, 1622-1625, Gian Lorenzo Bernini (1598-1680), mármol de Carrara, 243 cm © Other Images; **p. 66:** *Autorretrato*, 1946, Juan Soriano (1920-2006), tinta sobre papel, 38.6 × 32.4 cm, Museo Soumaya, México; **p. 70:** Nueva York (2008), zona Battery Park © Other Images, fotografía de Peter Arnold; **p. 71:** (arr.) *El Doctor Atl en el Popocatépetl*, fotografía de Juan Guzmán, colección Juan Guzmán, archivo fotográfico del Instituto de Investigaciones Estéticas-UNAM; (ab.) *Arroyo y cráter*, s/f, Dr. Atl (1875-1964), Atl color sobre masonite, 36 × 50 cm, Colección Banco Nacional de México, fotografía cortesía del Banco Nacional de México; **p. 72:** Cuetzalan, Puebla, 2007 © Other Images, fotografía de Peter Arnold; **p. 74:** (izq.) *Blancanieves y los siete enanos*, Teatro Mladinsko, 2007, fotografía de Fernando Gutiérrez Juárez; (der.) *Ni una más*, compañía Rossana Filomarino, 2004, fotografía de Christa Cowrie; **p. 75:** *Fuenteovejuna*, Ballet Nacional de España, 2004, fotografía de Christa Cowrie; **p. 76:** Vive la magia, Orquesta Sinfónica de la Universidad de Guanajuato, 2001, fotografía de Daniel González Moreno; **p. 77:** Niños mixes de la Escuela de Música de Tlahuitoltepec, Oaxaca, 1994, fotografía de Christa Cowrie; **p. 79:** baile jarocho, 2010, Veracruz, fotografía de Salatiel Barragán Santos; **p. 83:** *Historias de viaje*, Onírico, Danza Teatro del Gesto, 2004, fotografía de Christa Cowrie; **p. 84:** Música y danza en la calle, Festival Internacional Cervantino, 2002, fotografía de Christa Cowrie.

¿Qué opinas de tu libro?

Tu opinión es importante para que podamos mejorar este libro de *Educación Artística. Tercer grado*. Marca con una palomita ✓ en el espacio de la respuesta que mejor exprese lo que piensas. Puedes escanear tus respuestas y enviarlas al correo electrónico librosdetexto@sep.gob.mx

1. ¿Recibiste tu libro el primer día de clases?

   ☐ Sí ☐ No

2. ¿Te gustó tu libro?

   ☐ Mucho ☐ Regular ☐ Poco

3. ¿Te gustaron las imágenes?

   ☐ Mucho ☐ Regular ☐ Poco

4. Las imágenes, ¿te ayudaron a entender las actividades?

   ☐ Mucho ☐ Regular ☐ Poco

5. Las instrucciones de las actividades, ¿fueron claras?

   ☐ Siempre ☐ Casi siempre ☐ Algunas veces

6. Además de los libros de texto que son tuyos, ¿hay otros libros en tu aula?

   ☐ Sí ☐ No

7. ¿Tienes en tu casa libros que no sean los de texto gratuito?

   ☐ Sí ☐ No

8. ¿Acostumbras leer los *Libros de Texto Gratuito* con los adultos de tu casa?

   ☐ Sí ☐ No

9. ¿Consultas los Libros del Rincón de la biblioteca de tu escuela?

   ☐ Sí ☐ No

   ¿Por qué?: ______________________________

   ____

10. Si tienes alguna sugerencia para mejorar este libro, o los materiales educativos, escríbela aquí:

    ____

    ____

    ____

    ____

¡Gracias por tu participación!

SEP
SECRETARÍA DE EDUCACIÓN PÚBLICA

Dirección General de Materiales e Informática Educativa
Dirección de Desarrollo e Innovación de Materiales Educativos
Versalles 49, tercer piso, col. Juárez,
delegación Cuauhtémoc, C. P. 06600,
México, D. F.

Doblar aquí

Datos generales

Entidad: ____________________

Escuela: ____________________

Turno: Matutino ☐ Vespertino ☐ Escuela de tiempo completo ☐

Nombre del alumno: ____________________

Domicilio del alumno: ____________________

Grado: __________

Doblar aquí